Fabio Volo

UNA GRAN VOGLIA DI VIVERE

MONDADORI

Dello stesso autore
in edizione Mondadori

Esco a fare due passi
È una vita che ti aspetto
Un posto nel mondo
Il giorno in più
Il tempo che vorrei
Le prime luci del mattino
La strada verso casa
È tutta vita
A cosa servono i desideri
Quando tutto inizia

librimondadori.it

Una gran voglia di vivere
di Fabio Volo

ISBN 978-88-04-70727-1

I edizione ottobre 2019

Una gran voglia di vivere

A Gabriel, Sebastian, Johanna

Ricordare cosa significa essere me.
È sempre quello il punto.

JOAN DIDION

Svegliarsi una mattina e non sapere più se ami ancora la donna che hai vicino, la donna con cui hai costruito una famiglia, una vita.

Non sai come sia potuto accadere. Hai dato per scontato che a te non sarebbe mai capitato e ti sei concesso il lusso di distrarti, di guardare fuori dal finestrino, goderti il paesaggio. E quando ha iniziato a non piacerti più, quando ha smesso di assomigliare a quello che avevi immaginato, era troppo tardi per tornare indietro.

Non è stato un evento, una situazione, un tradimento ad allontanarvi. È successo senza esplosione, in silenzio, lentamente, con piccoli, impercettibili passi.

Un giorno, guardando l'uno verso l'altra, vi siete trovati ai lati opposti della stanza. Ed è stato difficile perfino crederci.

Quando Anna era arrivata nella mia vita tutto era cambiato, contava solo lei e il tempo che passavamo insieme.

Non avevo mai avuto dubbi su di noi, e non per incoscienza, semplicemente il nostro sembrava un amore in grado di mantenere le promesse.

1

«Mi ami ancora?»

Eravamo a letto con le luci spente quando Anna me l'ha domandato. Avevamo appena fatto l'amore e stavo pensando che così bene non lo facevamo da mesi. C'era stato più trasporto, più forza, più passione.

Era già successo che Anna me lo chiedesse, e ogni volta avevo risposto in maniera immediata, senza mai esitare: «Certo che ti amo ancora. Che domande fai?».

Rispondevo così perché non volevo chiedermelo davvero.

Tenevo a lei, eppure non capivo cosa ci fosse di autentico dentro di me.

Io e Anna stavamo insieme da sette anni e Matteo ne aveva cinque.

Era venuta a mancare la complicità di un "noi" che non fosse inteso solo come famiglia. Senza che ce ne rendessimo conto, quel "noi" era evaporato.

Quando Anna mi ha chiesto se la amavo ancora, ho capito che lo stava facendo in un modo diverso, voleva una risposta onesta. Non potevo risponderle come avevo sempre fatto.

Sono rimasto in silenzio, dovevo decidere se essere sincero o dire una bugia che mi avrebbe permesso di rimandare ancora. Non ero sicuro di voler rendere ufficiale la nostra crisi. Se avessi dato una risposta vera, non avremmo più potuto far finta di niente.

«Sei sveglio o ti sei addormentato?» mi ha chiesto.

«Sveglio.»

Ho fatto un lungo respiro e, per la prima volta, le ho detto la verità, le ho detto quello che sentivo veramente. Le parole uscivano senza che le pensassi, parlavo e al tempo stesso ascoltavo quello che dicevo. Non stavo parlando solo con lei, ma con me stesso.

«Non lo so più, Anna.»

Ero triste, come se mi rendessi conto, in quel momento, di aver tradito una promessa.

«Sono stanco di quello che non riesco a fare e non riesco a essere. Non dico che sia colpa tua, ma così non sono felice.»

Anna non diceva nulla, non la sentivo nemmeno respirare o fare dei piccoli movimenti. Sapevo di farle male e la cosa mi dispiaceva da morire, perché non ho mai desiderato ferirla. Nel silenzio, aspettavo una reazione.

Poi ha detto: «È quello che provo anch'io. Questa non è la vita che avevo immaginato e non capisco dove abbiamo sbagliato. Anche se stiamo insieme, anche se abbiamo un figlio, nella maggior parte del tempo mi sento sola».

Lo stomaco si è chiuso in una morsa dolorosa.

Ho avuto la sensazione che tra me e lei fosse finito un modo di stare insieme, una bugia sospesa, la nostra storia. La crisi era dichiarata e non potevamo più vivere come avevamo fatto fino ad allora.

Anche se avevo gli occhi aperti non vedevo nulla, solo il buio.

Immaginando quel momento, avevo sempre pensato che avrei provato un senso di liberazione, invece mi sono sentito ancora più perso, come se in quel buio stessi precipitando.

Non ero più felice con lei, lei non lo era più con me, eppure ero terrorizzato dall'idea di perderla.

Ho pensato di andare a dormire sul divano, come era già successo altre volte, ma mi sono voltato verso di lei e l'ho abbracciata.

Avevo paura che mi avrebbe respinto, invece si è voltata anche lei e ci siamo stretti l'uno all'altra. Stavamo precipitando insieme, stavamo scivolando stanchi, spossati, forse sconfitti dalla nostra vita.

Più che abbracciati eravamo aggrappati alla persona che stavamo perdendo, alla persona che non eravamo più in grado di rendere felice.

In quell'abbraccio ci siamo addormentati.

2

La prima volta che l'ho vista era la fine di settembre.

Ero a una cena in campagna, per l'inaugurazione della casa di Alessio. Gli avevo dato una mano coi lavori, siamo entrambi architetti e lavoriamo nello stesso studio.

Conoscevo la maggior parte degli invitati. Gli uomini erano fuori, vicino alla griglia, con delle birre in mano a chiacchierare e ridere. Le donne, in cucina, preparavano insalate, tagliavano pomodori e mozzarella, stavano ai fornelli per fare la pasta.

In giardino c'era un lungo tavolo apparecchiato, mille lucine appese ai rami degli alberi sotto la veranda, come a Natale.

Sono passato in cucina a salutare e poi ho raggiunto i ragazzi.

Mentre mi avvicinavo, ho sentito: «Dietro ogni donna arrabbiata c'è un uomo che non ha idea di che cazzo ha fatto».

Tutti sono scoppiati a ridere.

«Questa dove l'hai sentita?»

«Me l'ha mandata un amico su una chat di WhatsApp.»

Ho salutato Alessio e quelli che conoscevo, poi mi sono presentato agli altri. Mi hanno subito passato un bicchiere di vino rosso. Una delle cose belle dell'essere maschi è che bastano un bicchiere e due battute idiote e si è già amici per la pelle.

Poi mi sono voltato e, sotto un albero, illuminata dalle lucine, ho visto Anna. Mi ha ipnotizzato. Sono rimasto a fissarla per un tempo che non saprei dire. Alla fine ha alzato lo sguardo verso di me e mi ha inchiodato con un sorriso.

Ho continuato a guardarla da lontano, mentre parlava, mentre rideva. I lineamenti del suo viso erano morbidi come le curve del suo corpo. Aveva una gonna ampia e non riuscivo a vedere le gambe, ma potevo immaginarle.

Sembrava che gli altri fossero a loro agio con lei, il suo sorriso e il modo in cui parlava erano una continua apertura verso il mondo.

Ho pensato fosse una di quelle donne che fanno bene l'amore, lo intuivo da come muoveva le mani, da come rideva, da come si toccava i capelli. Era un incrocio meraviglioso di dolcezza, erotismo, tenerezza e sensualità. Sentivo il desiderio di sfiorarla, di toccarla.

Mi sono incamminato verso di lei e quando le ero quasi vicino Alessio ha gridato: «È pronto!».

Un ragazzo l'ha presa sottobraccio e l'ha accompagnata fino al tavolo.

Sono rimasto spiazzato. Non avevo pensato un solo istante che potesse essere fidanzata.

Tutti gli invitati prendevano posto, lei e lui erano

ancora in piedi, parlavano con un'altra coppia. Poi sono andati a sedersi, lui da una parte, lei dall'altra. L'ho seguito con lo sguardo fino a quando si è avvicinato a una ragazza, le ha accarezzato una spalla, le ha dato un bacio e ha preso posto accanto a lei. Una gioia improvvisa mi è esplosa dentro.

Intorno ad Anna c'erano ancora sedie libere, una di fianco e due di fronte. Mi sono catapultato, per paura che si sedesse qualcun altro.

Alla fine eravamo uno di fronte all'altra. Smettila di fissarla, mi sono detto.

Ho iniziato a parlare con altri poi, appena ha preso in mano il bicchiere, mi sono presentato.

«Ciao, sono Marco.»

«Ciao Marco, sono Anna.»

Ho pensato alla canzone di Dalla e credo anche lei, perché ci siamo sorrisi anche se non ci siamo detti nulla. Ho alzato il bicchiere di vino.

«Salute.»

Lei in risposta ha alzato il suo. Prima che potessi dire altro, la sua vicina di posto le ha fatto una domanda e ha rubato la nostra prima conversazione.

Ho aspettato, un'attesa infinita.

In quei minuti fantasticavo su quello che avrei voluto fare insieme a lei. Ero certo che durante la cena avrei provato a conquistarla e la cosa mi agitava, ma sentivo una spinta che toglieva ogni incertezza.

Appena mi ha guardato le ho chiesto: «Conosci bene Alessio?».

«Abbiamo lavorato nello stesso studio qualche anno fa.»

Conoscevo lo studio di cui mi stava parlando, mi

avevano fatto una proposta in passato. Se avessi accettato avremmo lavorato fianco a fianco e adesso magari staremmo insieme, ho pensato.

Quella possibilità mi ha strappato una piccola risata.

Mi ha guardato.

«Cosa c'è da ridere?» ha detto, ridendo a sua volta. Mi piaceva da morire.

Più parlavamo, più si creava una naturale complicità, sembravamo amici da anni. Mi aveva conquistato in un attimo, qualcosa fuori dal mio controllo voleva consegnarmi a lei immediatamente. Anna, tutto ciò che sono è tuo, avrei voluto dirle. Era una creatura rara, preziosa, sospesa. Sentivo che andava afferrata subito, altrimenti sarebbe volata via come un palloncino a una festa di paese.

Il modo in cui parlavamo era così intenso che coinvolgeva anche le persone sedute vicino a noi.

Qualcuno si è alzato per salutare un ragazzo che era appena arrivato e che ha subito raggiunto Alessio a capotavola: «Scusa il ritardo, ero in una riunione che sembrava non voler finire mai».

Lo conoscevo di vista, tutti lo chiamavano Gabo e aveva lavorato con Alessio, nello stesso studio di Anna.

Era un ragazzo sorridente, di quelli che seducono chiunque in un istante.

«Tutto quello che sa questo ragazzo gliel'ho insegnato io» ha detto Alessio, mentre lui restava lì in piedi davanti a noi a incassare con un sorriso a trentatré denti.

«È vero, mi ha insegnato tutto. Posso dire di essere la sua brutta copia.»

Un ragazzo si è spostato: «Vieni, siediti qui, c'è un bicchiere di vino che ti aspetta».

Prima di farlo, lui si è avvicinato ad Anna e le ha dato un bacio sulla bocca.

Ho sentito un colpo allo stomaco, come se lei fosse la mia fidanzata e l'avessi appena vista tradirmi con un altro.

In un attimo ero passato dalla gioia di averla trovata al dolore profondo di averla persa.

Gabo è andato a sedersi nel gruppo di quelli con cui sarei stato io se non avessi visto Anna, quelli con cui si ride e ci si diverte.

Io e lei abbiamo continuato a parlare, ma qualcosa era cambiato. C'era imbarazzo, anche da parte sua, forse perché, nonostante cercassi di nasconderlo, aveva visto quanto ci fossi rimasto male.

A metà cena mi sono alzato con una scusa e sono andato vicino a degli amici, lontano da Anna, e lontano dal suo fidanzato.

Più lo osservavo, più mi convincevo che per lei era l'uomo sbagliato. Una cosa mi stupiva di lui: non le stava vicino, non era preoccupato o geloso. Era rilassato e si godeva la serata. Alla fine mi sono ubriacato e un amico mi ha riaccompagnato a casa.

La mattina seguente, mentre smaltivo il postsbornia, tutto sembrava difficile, il mal di testa, la nausea, la bocca secca e disidratata. La tristezza della sera prima era ancora presente, un ragazzo di nome Gabo stava con la donna della mia vita. Perché lei lo era, non avevo dubbi.

Lo era come lo sono tutte le persone che ci attraggono, che ci piacciono e che non abbiamo avuto l'occasione di conoscere veramente. Forse non dovremmo incontrarle più e lasciarle vivere di perfezione nella nostra testa.

3

Un paio di mesi dopo dovevo andare dal dentista. Era pomeriggio e cercavo un taxi. Chiamavo e non ricevevo risposta, poi mi sono ricordato che a due isolati c'era una stazione. Quando sono arrivato era vuota. Mentre tentavo di trovare una soluzione, poco più avanti si è fermato un taxi, l'ho inseguito e avvicinandomi ho visto la testa di qualcuno sporgersi tra i due sedili davanti, per pagare la corsa.

Ho aspettato che uscisse dall'auto.

«Anna?»

Lei mi ha guardato sorpresa, eravamo l'uno davanti all'altra, imbarazzati.

«Che ci fai qui?» ho chiesto.

«Sto andando da un cliente, e tu?»

«Dentista. Pensa che gioia.»

Ha sorriso.

Non sapevamo che dire, si capiva dalle pause tra le nostre risposte. Era ancora più bella di come la ricordassi, lei non lo sapeva, ma per settimane mi ero ripetuto che era la donna della mia vita.

«Le serve il taxi oppure no? Se non le serve può chiudere la portiera!» ha detto il tassista infastidito.

Io e Anna ci siamo guardati un istante, poi ho risposto: «No, grazie, non mi serve».

Poi le ho detto: «Ti accompagno».

Lei ha indicato il portone davanti a noi: «Io sono arrivata, vado qui».

«Ah sì, certo» ho detto sentendomi un idiota.

Prima di scomparire dietro il portone mi ha detto: «Se ti va possiamo vederci più tardi, magari per un aperitivo».

Non me l'aspettavo.

«Certo.»

«Prendi il mio numero, quando abbiamo finito le nostre cose ci scriviamo.»

Mi piaceva la sua intraprendenza, era meno imbranata di me.

Ho chiesto al dentista di non esagerare con l'anestesia, non volevo andare all'incontro con Anna con un labbro penzolante a sbiascicare parole.

Da quell'incontro del tutto occasionale abbiamo iniziato a frequentarci. Ho scoperto che lei e Gabo non stavano più insieme, che lui, al contrario di come lo avevo immaginato, non era per nulla tranquillo, anzi, era molto geloso. Dopo la cena da Alessio, tornando a casa le aveva fatto una scenata da matto e non le aveva rivolto la parola per giorni. Improvvisamente, il ragazzo che mi era sembrato così sicuro di sé non lo era affatto.

La nostra storia nasceva da una coincidenza e mi faceva pensare che eravamo dentro a un disegno più grande. "Trasformeremo il caso in destino" diceva Jeanne in *Ultimo tango a Parigi*, e forse è quello che inconsciamente avevo desiderato.

4

Rivedevo il suo viso appena sveglia, rivedevo come mescola il caffè, come inclina la testa quando dico una cosa che non capisce o che non si aspetta, quando smette di masticare e sorride se si accorge che la sto osservando.

Se pensavo a tutto questo le nostre difficoltà diventavano sospese, irreali, e faticavo a vedere la separazione come una possibilità.

Quando l'ho conosciuta tutto era limpido: ci amavamo. Eppure, dopo gli anni passati insieme, non sapevo più nemmeno cosa significasse, e non capivo come fosse possibile. Sulle questioni fondamentali della vita non sapevo più cosa pensare: l'amore, la felicità, Dio, gli ufo.

Io e Anna eravamo pieni di energia, avevamo mille progetti, un futuro da costruire e l'idea di raggiungere tutte queste cose ci eccitava. Poi è stato come se ci fossimo bloccati, non sapevamo dove stavamo andando, non c'era più una meta.

«Come ci vedi tra dieci anni?» mi ha chiesto una sera sul divano. Non ero preparato.

«Ci devo pensare» ho risposto per prendere tempo, ma quando ho cercato di immaginarci ho visto solo i noi di adesso e alla fine le ho detto: «Come ora, ma più vecchi».

Non dimenticherò mai la delusione sul suo volto.

La mattina seguente, in auto verso l'ufficio, volevo chiamarla e dirle che avevo trovato una risposta, magari qualcosa di romantico, una frase da film, invece niente, non mi è venuto nulla.

Non c'era più un futuro eccitante, non dovevamo cercare casa, arredarla, preparare la stanza per il primo figlio, non dovevamo ampliare il nostro raggio d'amore. Sembrava più importante riuscire a mandare avanti ogni cosa, eravamo concentrati a tenere tutto insieme. Forse avremmo dovuto fare subito un altro figlio, prima di arrivare a quel punto, per avere la conferma che ciò che avevamo era ciò che volevamo. Forse era tardi. Il fatto che nemmeno ne parlassimo significava già qualcosa. La fatica e lo stravolgimento che aveva portato Matteo ci avevano fatto capire che a un altro figlio non avremmo retto. Saremmo franati.

All'inizio tornavamo a casa dal lavoro ed eravamo felici di rivederci, di cucinare insieme. C'era sempre musica, una bottiglia di vino rosso aperta, baci sul collo, sfioramenti, risate. Non serviva un'occasione speciale per festeggiare, la scusa per farlo era stare insieme, essere felici. Anche i silenzi erano condivisi, non pensavo mai a qualcosa per i fatti miei, ma rimanevo sempre connesso con lei.

Non ricordavo la prima volta che non avevamo acceso la musica, che la radio era rimasta spenta o che non avevamo aperto il vino, quando erano finiti gli sfioramenti e i baci sul collo. Doveva essere stato un processo lento.

E poi un giorno un "No grazie, non mi va di bere, sono stanco, se bevo mi addormento a tavola".

E poi un giorno invece di accarezzarla ho pensato che avrei potuto accarezzarla, ma una sorta di stanchezza, di resa, mi ha impedito di farlo. Ero annoiato.

E poi un giorno, durante una discussione in cui se ne è andata nell'altra stanza, non mi sono alzato per seguirla, nonostante sapessi che se l'aspettava. Sarebbe bastato quel gesto e le cose si sarebbero sistemate, ma non l'ho fatto.

I silenzi sono aumentati, si sono fatti sempre più presenti. Le prime volte avvertivo un po' di imbarazzo, poi lentamente mi sono abituato e hanno iniziato a piacermi, fino a diventare un angolo dove rifugiarmi.

All'improvviso mi sono ritrovato a vivere in una distanza densa, come una gelatina, a cui non sapevo dare un nome perché non l'avevo mai conosciuta prima. Uno spazio che ci teneva costantemente separati e con il quale avevo imparato a fare i conti.

Dopo tutti gli anni insieme, mi capitava di non essere totalmente rilassato con lei. Avevo paura di dire una parola sbagliata e di ritrovarmi in una di quelle giornate in cui non parlavamo, c'era tensione e i silenzi diventavano un pugno nello stomaco.

A volte ero più rilassato con persone che conoscevo poco, piuttosto che a casa con lei. Io e Anna, senza aver mai capito il motivo, ci giravamo intorno in punta di piedi.

5

In ufficio mi ha cercato Oscar, il titolare dello studio in cui lavoro: «Riesci a venire da me domani pomeriggio per le cinque?».

«Per cosa?»

«Ti aspetto alle cinque.»

Ho passato l'intera giornata a chiedermi per quale motivo mi avesse convocato. L'unico che mi veniva in mente era un litigio recentemente avuto con Sergio, il capoprogetto. Con lui non ci prendiamo, come dicono le persone dello studio.

Amo seguire qualcuno quando ha una visione chiara, innovativa, coraggiosa. Sergio, invece, ha bisogno di mettere becco su tutto, non perché vi sia davvero coinvolto, ma perché sa che potremmo fare tutto senza di lui e questo lo costringe a non lasciarci mai quella possibilità.

Mi ero scontrato con lui fin da subito e la situazione non si è mai aggiustata. Quando proviamo a sistemarla succede qualcosa che ci riporta al punto di partenza.

"Io ho sempre ragione, specialmente quando ho torto" è una frase che Sergio ha fatto sua.

Non ama essere contraddetto, soprattutto davanti ad altre persone, e io non riesco a trattenermi dal fargli notare che anche lui può sbagliare.

So che sarebbe felice di licenziarmi, ma i miei progetti riscuotono molto successo e lo studio mi tiene stretto.

Un giorno Dario, un collega, ha detto: «Sergio è quel tipo di persona che può essere stimata, ma mai veramente apprezzata. Tutta la sua vita è un tentativo di guadagnarsi la simpatia altrui senza mai riuscirci».

In parte ci aveva preso.

«Quelli come Sergio sono come le sorellastre di Cenerentola, vogliono andare per forza alla festa ma poi nessuno ci vuole ballare.»

Una decina di giorni prima della richiesta di Oscar, durante una riunione, Sergio stava facendo uno dei soliti monologhi con cui riesce a irritarmi. Mi ero imposto più volte di stare zitto, ma la tentazione di mostrargli quanto avesse torto era stata più forte. Avevo elencato con molta calma, una dopo l'altra, le ragioni per cui sbagliava. Appena finito di fargli fare la figura del coglione, una vocina mi aveva sussurrato che il coglione ero io.

Sergio mi aveva rivolto uno sguardo che non credo di avergli mai visto.

«Mi fa piacere sapere come la pensi, ma nessuno te lo ha chiesto. Quindi restiamo a quello che ho detto io per una serie di motivi che non ho voglia né bisogno di spiegarti. Usiamone solo uno, tu lavori per me e fai quello che ti dico io.»

Un uomo intelligente, pacato, maturo avrebbe ingoiato il boccone per non rendere le cose ancora più difficili. Invece, di nuovo, non ero riuscito a tacere. Avevo sentito un calore esplodermi in faccia.

«Vorrei solo farti notare che io non lavoro *per* te, io lavoro *con* te. Tu sei il capoprogetto, ma lo studio non è tuo. Io e te lavoriamo per la stessa proprietà.»

«Peccato che decido io chi va e chi resta, e se non sei d'accordo quella è la porta.»

Ci eravamo guardati, avevamo superato il limite.

Essere licenziato non mi spaventava, era più che altro una seccatura, avrei dovuto iniziare a cercare in giro. Solo che mi piacevano le persone con cui lavoravo, soprattutto mi piacevano i progetti portati avanti dallo studio.

Nella stanza c'era un silenzio di attesa, tutti si aspettavano la mossa seguente, ed era la mia. Non sapevo cosa fare, alla fine avevo detto: «Ci penso».

Credevo che queste parole bastassero per far proseguire la riunione, lui non era dello stesso avviso e non aveva mollato la presa: «Sono io quello che ci pensa, semmai».

Non mi usciva nemmeno una parola. Sergio mi aveva tolto dall'indugio: «Facciamo così, vai a casa, stai con la tua famiglia, passa un buon fine settimana. Non devi dirmi in questo momento se preferisci restare a lavorare *per* me o se preferisci andartene. Però una cosa deve essere chiara, se stai qui, devi cambiare questo atteggiamento arrogante perché d'ora in avanti non è più accettabile».

Avrei potuto alzarmi e mandarlo affanculo davanti ai colleghi, ma non l'avevo fatto. Finalmente, dopo anni di cattiva gestione delle mie emozioni, avevo dato una risposta che aveva stupito tutti, soprattutto me: «Va bene».

Quel diverbio era l'unico motivo che mi veniva in mente per la richiesta di Oscar. Forse anche lui si era stancato del mio atteggiamento ed era arrivato il momento di chiudere la nostra collaborazione.

La sera, prima di addormentarmi, mi sono venuti in mente quei film dove il protagonista, nel giro di pochi giorni, viene licenziato e lasciato dalla moglie.

Forse, all'età di quarantacinque anni, stava accadendo anche a me.

6

Una domenica stavamo tornando a casa dopo essere stati a pranzo dai genitori di Anna. Eravamo in autostrada e il tramonto disegnava una luce bellissima, le nuvole passavano dal verde al rosa, al rosso.

Matteo era seduto dietro e dormiva. Aveva circa due anni. A un tratto guardando il cielo Anna ha detto: «Perché non ce ne andiamo a vivere da qualche parte?».

«In che senso?»

«Vivere in un posto nuovo.»

A volte inizia dei discorsi all'improvviso e io faccio fatica a seguirla.

«Partire, ricominciare in un altro posto.»

«Ma dove?»

«California, Australia, Barcellona.»

Forse quel tramonto l'aveva spinta a sognare.

«Un po' tardi per questo pensiero, magari in una seconda vita.»

È rimasta in silenzio, poi ha detto: «È questa l'unica vita, non ce n'è un'altra».

Sembrava triste, allora ho aggiunto: «Va bene, adesso arriviamo a casa, facciamo le valigie e si parte».

Ha insistito: «Potremmo andare in un posto caldo, al mare, in un paese che costa poco, ci prendiamo una casetta sulla spiaggia, Matteo può stare fuori tutto il giorno, giocare all'aperto invece che stare sempre al chiuso».

«Potrei fare il pescatore. È un lavoro che ho sempre sognato.»

Anna si è voltata verso di me: «Non dico per sempre, solo per un po'. Prima che Matteo inizi ad andare a scuola. Abbiamo ancora qualche anno».

Era seria. È successo anche a me, sentire una spinta da dentro, una voglia improvvisa di partire, e per qualche minuto sembra l'unica cosa giusta da fare.

Quella volta, invece, ad Anna è durata di più, è durata settimane.

È stata la causa di una delle nostre prime crisi, forse la più importante fino a quella che stavamo vivendo. Poi per un paio d'anni non ne abbiamo più parlato.

Un giorno, tornando dal lavoro, mi ha presentato una serie di opzioni, di luoghi, di soluzioni. Aveva scelto Ibiza, le sembrava un buon compromesso tra natura e città. Si era messa anche a cercare casa su Internet. Una sera mi ha fatto un elenco delle cose che avevamo e che non ci servivano.

«E poi potremmo affittare la nostra casa, vendere la mia macchina e forse non ci servono neanche i soldi che abbiamo da parte, la vita fuori dalla città costa meno.»

Non la riconoscevo più, ho iniziato a spaventarmi.

Cercavo di spiegarle che non potevo lasciare lo studio: «Amo il mio lavoro, amo esprimermi. Se non lavorassi andrei in mille pezzi, non sarei in grado nemmeno di portare avanti la nostra famiglia. Il lavoro per me è un modo per partecipare alla vita, e tu lo sai».

Era così ovvio che mi faceva strano doverlo spiegare alla persona con cui stavo e con cui avevo costruito una famiglia. Non mi vedevo per nulla felice su una spiaggia o in campagna in mezzo alla natura. Andava bene per le vacanze, non per la vita. A me sono sempre piaciute l'adrenalina del lavoro e la città.

«Sto bene qui, Anna, oltre al mio lavoro abbiamo finalmente la casa che volevamo. L'abbiamo scelta perché ci piaceva e tu l'hai arredata con tutto quello che desideravi. Abbiamo da parte due soldi, non molti, ma potrebbero bastare per qualche emergenza. Non ultimo della lista abbiamo un figlio, non siamo più solamente io e te. La nostra vita qui non è male, certo non è che ci sono i fuochi d'artificio ogni giorno, ma tutto sommato stiamo meglio di molte altre persone. A me piace la nostra vita.»

«Ma non ti annoi? Non sei annoiato per la maggior parte del tempo?»

«Non ho molto tempo per annoiarmi, lavoro tutto il giorno.»

La mia frase è stata causa di una litigata feroce. Anna l'aveva interpretata come se volessi dire che io lavoravo e lei non faceva nulla. Quando Matteo era nato, avevamo deciso di comune accordo che sarebbe stata a casa con lui per il primo anno. Poi, si era resa conto che rientrare a pieno regime non sarebbe stato così facile, perché la dedizione che richiede un progetto sarebbe stata difficilmente compatibile con la vita di Matteo e lei non si sentiva di lasciarlo ad altri per dieci ore al giorno. Alla fine avevamo scelto una soluzione più morbida, provare a rendersi disponibile per qualche mattina a settimana. La cosa era naufragata presto, era dura per lei accettare di fare il suo lavoro a metà. Nello stesso periodo, poi, avevo ricevuto un aumento che ci permetteva di stare in piedi solo con un'entrata, la mia. Lentamente Anna si era abituata alla vita con Matteo, o almeno così mi era sempre sembrato fino alla sua reazione rabbiosa.

È stata la prima volta che abbiamo rischiato di lasciarci.

Una sera, per recuperare un po' la situazione, ho finto di prendere in considerazione l'ipotesi di trasferirci. Ero sicuro che se Anna avesse visto una mia apertura si sarebbe ammorbidita e poi sarebbe stato più facile per me farle capire che non si poteva fare. Forse dovevo solo smettere di scontrarmi con lei e cercare di farla ragionare.

«Non sto dicendo che non ci sto pensando. Ci penso e capisco anche il fascino dell'avventura. Solamente non credo sia il momento giusto.»

«Non sarà mai il momento giusto. Ibiza è a meno di due ore da qui, non siamo dall'altra parte del mondo. Pensa a Matteo che gioca all'aperto tutto il giorno in mezzo alla natura. Pensa al regalo che gli faresti.»

Quando metteva in mezzo Matteo mi innervosiva, lo consideravo sleale.

«Comunque, per far crescere Matteo nella natura non serve andare fino a Ibiza, possiamo anche cercare un posto qui in Italia.»

«Dove?»

«Non lo so, non ci ho mai pensato. Perché dev'essere proprio Ibiza?»

«Perché lì c'è quello che piace a noi, è nella natura ma ha un'energia che gira, si muove, succedono cose. In un paesino qui vicino non accade niente e ci annoiamo. Noi siamo cresciuti in città, ci serve anche il movimento.»

Trovavo la sua richiesta così assurda che facevo fatica a ribattere, ad avere una normale conversazione.

«Quando ci siamo messi insieme, un giorno ci siamo detti che ci sarebbe stato qualcosa di bello, di speciale, che ci sarebbe accaduto. Te lo ricordi? Sentivamo che avremmo vissuto qualcosa di unico che ancora non eravamo in grado di vedere.»

Me lo ricordavo, era stata una di quelle frasi che si dicono da innamorati, trascinati da un entusiasmo costante.

«Pensi sia questa cosa? La cosa speciale è andare a vivere a Ibiza?»

«Non lo so, magari non Ibiza nello specifico, magari è solo la capacità di essere aperti al cambiamento. Soltanto così ci può succedere qualcosa di bello, di emozionante, altrimenti finiamo come tutti a vivere sempre la stessa vita. Non credi?»

Mi aveva sfinito e sono ricorso all'ultimo argomento: «Ci vogliono i soldi per fare quello che dici tu, e noi non ce lo possiamo permettere».

Lei non mollava: «Possiamo usare una parte di quelli che mi ha dato mio padre quando ha venduto la casa».

«Ma non dovevamo tenerli per Matteo?»

Avevo usato il bambino per fermarla.

«La verità è che non vuoi e usi i soldi come una scusa.»

«Sei fuori dal mondo, credimi.»

Non ha più risposto. È rimasta in silenzio e poi, quasi si fosse arresa, è andata a letto. Ormai ero convinto che fosse completamente impazzita.

Nei giorni seguenti ogni tanto il discorso saltava fuori, lei cercava di convincermi con nuove ipotesi, ma io sono stato bravo a resistere, fino a quando si è spento tutto e non ne abbiamo più parlato.

Anche se ero convinto di aver ragione, sapevo che in qualche modo le avevo rovinato un sogno, e questo tra due persone che si amano non è mai bello.

Per Matteo aveva rinunciato al suo lavoro, alle sue ambizioni, e non era stato facile. Ho capito che dovevo fare qualcosa e mi è venuto in mente un desiderio che mi aveva confessato anni prima: le sarebbe piaciuto andare in Australia e Nuova Zelanda durante l'estate, quando qui da noi è inverno.

Una sera, dopo aver messo a letto Matteo, le ho detto che ci saremmo andati. Mi aspettavo uno scoppio di entusiasmo, invece mi ha guardato seria: «Non ci andremo mai. Non avrai mai il coraggio di assentarti dal lavoro per due mesi. Sarà una delle tante promesse non mantenute».

«Ti do la mia parola» le ho detto, e un po' tremavo dentro, perché sapevo che a quell'impegno sarebbe stato difficile sottrarsi.

Mi sono sentito quasi in salvo quando Anna finalmente ha trovato un lavoro. Da un po' di mesi aveva deciso che, con l'inizio della scuola di Matteo, lei avrebbe ripreso a pieno ritmo. Nessuno di noi due si aspettava che avrebbe trovato un posto così in fretta, il compenso era basso però almeno lo studio era vicino a casa.

Poi, all'improvviso, ha tirato fuori di nuovo il discorso del viaggio.

«Sia io che Matteo iniziamo a settembre. È l'ultima possibilità per fare il viaggio che ci hai promesso.»

Non ho avuto il coraggio di oppormi, sarebbe scoppiato l'inferno. Così abbiamo pianificato la partenza per marzo.

Da settimane in casa Matteo non parlava d'altro, gli avevo comprato perfino un mappamondo e gli avevo fatto vedere dove saremmo andati.

«Vedi? L'Australia e la Nuova Zelanda sono qui sotto e noi staremo a testa in giù per un sacco di giorni.»

Quell'idea lo divertiva moltissimo.

Gli avevamo preso uno zaino a forma di canguro e un koala di peluche dal quale era inseparabile. Lo portava all'asilo, lo portava ai giardinetti, lo spingeva sull'altalena e ci dormiva abbracciato.

Ogni tanto chiedeva quanto mancava alla partenza, allora avevo disegnato un calendario su un foglio e l'avevo appeso in camera sua. Tutte le mattine, quando si svegliava, faceva una crocetta sul giorno che era passato.

Ora, dopo aver dichiarato la nostra crisi, mi chiedevo se quel viaggio avesse ancora senso. Forse ci avrebbe messo sotto una maggiore pressione.

7

Mentre andavo da Oscar la testa mi esplodeva, sentivo un peso sul petto e sulle spalle.

La situazione con Anna, decidere se annullare il viaggio che già avevamo prenotato, la paura di essere licenziato, sembrava tutto un enorme scherzo. Mi sono ricordato una frase che ripeteva spesso mio padre: la vita è un gioco che ricomincia sempre, appena sei convinto di aver capito non hai capito niente. Mi sono chiesto se la discussione con Sergio potesse essere un motivo sufficiente per perdere il posto.

Da quando era nato Matteo, le mie prestazioni erano calate. In passato, se serviva, rimanevo in studio fino a tardi, finché non ero soddisfatto del mio lavoro. Era successo anche di rimanerci tutta la notte, quando dovevo chiudere un progetto. Nottate al lavoro in cui ci si toglie le scarpe sotto il tavolo e la scrivania in fondo alla stanza è piena di cartoni con avanzi di cibo. Il lavoro è fatto di disciplina, di mestiere, di regole, ma anche di momenti di ispirazione che non sai quando arrivano.

Avevo cominciato a vivere la famiglia come un

ostacolo alle cose che volevo fare, e anche da lì erano partiti i problemi con Anna. Quando era rimasta incinta, voleva che la accompagnassi a tutte le visite di controllo. E quando era nato Matteo mi chiedeva di accompagnarla dal pediatra. Mi sembrava che spettasse a lei, al limite poteva domandarlo a sua madre. Mi stupiva che mi facesse quelle richieste, Anna conosceva bene il mio lavoro, sapeva quanto era difficile. Alla fine mi sentivo in colpa se per il lavoro trascuravo Anna e Matteo, e mi sentivo in colpa se per loro trascuravo il lavoro.

Quando sono arrivato da Oscar, lui era al telefono, mi ha fatto cenno di entrare.

Mentre ero seduto in attesa che finisse la chiamata, pensavo ancora ad Anna, per la prima volta mi sono chiesto seriamente come sarebbe stata la mia vita senza di lei, fuori dalla nostra famiglia.

Pensavo al tempo che avrei recuperato, alle cene fuori con gli amici, alle ragazze che avrei conosciuto e a quelle con cui avrei fatto l'amore. E mi sarei liberato dell'ansia dei weekend, che nei momenti di crisi sono i giorni più difficili. Non vedi l'ora che arrivi lunedì per andare a lavorare.

Quelle fantasie non mi spaventavano, anzi, erano una piacevole via di fuga, mi eccitavano e mi facevano sognare. Mi riempivano il cuore, mi sentivo acceso. Spesso la mia vita immaginata mi accompagnava per giorni, e mi convincevo che fosse davvero possibile.

Dentro di me sentivo una forza che si voleva ribellare a tutto, una forza che mi ricordava di essere ancora vivo e di poter ancora provare e sentire certe emozioni.

Quello che mi mancava era avere uno spazio per gli imprevisti. Ero convinto che solo in quella libertà potevo essere veramente me stesso.

Oscar ha salutato la persona con cui stava parlando.

«Vuoi un caffè? Acqua?»

«Grazie, sono a posto così.»

«Come va? Tutto bene? Tua moglie? Tuo figlio?»

Mi faceva sempre effetto quando le persone chiamavano Anna mia moglie, anche quelle che sapevano che non eravamo sposati.

«Tutto bene.»

Oscar ha chiamato la segretaria e le ha chiesto un decaffeinato.

«Ne ho presi troppi oggi» mi ha detto. Ha fatto altre domande su un nuovo cliente, poi ha bevuto il suo caffè e finalmente siamo arrivati al punto.

«Sei pronto per il viaggio?»

Avrei voluto dirgli che forse non saremmo più andati, ma ho preferito tacere.

«Ultime cose da sistemare, ma siamo pronti.»

«Hai fatto una grande cosa, sarà un'esperienza indimenticabile per te e la tua famiglia. Parlo contro il mio interesse, ovviamente.»

Forse stava per dirmi che potevo allungare il viaggio perché non avevo più un lavoro.

«Sai che abbiamo preso un grosso progetto ad Amsterdam» ha detto invece, «mi serve un capoprogetto che stia là.»

Sapevo che Oscar stava parlando di anni e di una posizione che a Milano sarebbe stata chiusa.

«Ho pensato a un paio di persone, tu sei una di queste.»

Non mi stava licenziando, anzi. Sono rimasto a bocca aperta, ero del tutto impreparato.

«Avrei bisogno di sapere se ti può interessare.»

«Quando sarebbe?»

«Da settembre.»

Ci siamo guardati in silenzio.

«È perfetto per te. Ci salutiamo adesso, ti fai il viaggio con la famiglia e a settembre inizi una nuova avventura.»

«Effettivamente.»

È stata l'unica cosa che sono riuscito a dire in quel momento.

«Non mi aspetto che tu mi dia una risposta adesso. Hai tempo qualche giorno per pensarci. Immagino che tu debba parlarne a casa. E poi non è detto che sarai tu, mi serve solo sapere se sei disponibile.»

Il nostro incontro si è consumato in meno di dieci minuti. Non riuscivo nemmeno a capire se fossi contento.

Tornando a casa ho riflettuto: Amsterdam poteva essere lo scatto di carriera che aspettavo da tempo, per poi tornare a Milano e prendere il posto di Sergio. Ho iniziato a sentire dentro di me il sapore della sfida, la voglia di un nuovo orizzonte.

Sapevo però che non sarebbe stato facile convincere Anna, trasferirsi non era una cosa da poco, soprattutto nella nostra condizione.

Sono tornato a pensare che se fossi stato solo sarebbe stato tutto più semplice, non sarei nemmeno andato in Australia e Nuova Zelanda. Avrei cancellato il viaggio, perché niente avrebbe potuto darmi la stessa carica che mi dava quella sfida.

All'improvviso ha iniziato a piovere, un acquazzone così fitto non lo ricordavo da tempo.

Ero fermo a un semaforo, vedevo le luci rosse degli stop delle altre auto, i tergicristalli sembravano spostare litri di acqua.

Dalla radio è partita *Fragile* di Sting. L'ascoltavo sempre con i miei amici da ragazzo, e sono stato invaso da ricordi legati a quegli anni. Mi capitavano spesso momenti di profonda nostalgia, ricordi e immagini di normale quotidianità, cose di tutti i giorni: fare i compiti di scuola al tavolo della cucina, mentre mia madre lavava i piatti; mio padre d'estate seduto in poltrona a guardare la televisione in mutande e canottiera, oppure mentre si faceva la barba in bagno con la porta aperta.

Ho sentito un calore nel petto e, senza che ne capissi il motivo, mi sono ritrovato con gli occhi pieni di lacrime.

8

Ora toccava a me convincere Anna a lasciare Milano e andare a vivere in un'altra città. Non era Ibiza, non era la natura, ma non era poi così male.

Magari avrei riacceso il suo desiderio di avventura. Più ci pensavo, più mi convincevo che questo trasferimento sarebbe stato una buona cosa per noi.

Quando sono entrato in casa, mi ha chiesto subito se mi avevano licenziato.

«No, era per un altro motivo, cose di lavoro.»

Non ho aggiunto altro, volevo aspettare che fossimo da soli per parlargliene, senza essere distratti o interrotti.

Mentre leggevo il libro a Matteo, speravo si addormentasse subito, sentivo l'urgenza di parlare con Anna. Ma puntualmente, quando devo fare qualcosa o andare da qualche parte, è come se lui lo sentisse, e per addormentarsi ci mette il doppio del tempo. A volte, per fare prima, giro due pagine insieme, ma lui se ne accorge sempre, anche se il libro è nuovo.

Alla fine ce l'ho fatta, Anna mi stava aspettando sul divano.

«Pensavo ti fossi addormentato anche tu» mi ha detto.

«No, era lui che non si addormentava.»

«Guardiamo qualcosa?»

«Prima ti devo parlare.»

Mi ha guardato preoccupata.

«È per il lavoro.»

La sua espressione si è rilassata subito. Non sapevo come iniziare, ho pensato di essere diretto: «Oggi mi hanno fatto una proposta molto interessante».

Anna mi ascoltava con attenzione.

«Oscar mi ha chiesto se do la mia disponibilità per un lavoro molto grosso, come capoprogetto.»

«Sergio se ne va?»

«Non qui, ad Amsterdam.»

«Amsterdam?»

Ha cambiato faccia.

«Cosa hai risposto?»

«Che ci dovevo pensare e che volevo parlarne con te.»

Rimaneva in silenzio.

«Ti sembra una cosa assurda?»

«Mi sembra bello che abbia pensato a te.»

Non capivo se intendesse dire che le andava bene l'idea di trasferirsi.

«Immagino che se andasse in porto dovresti garantire la tua totale disponibilità, giusto?»

«Giusto.»

«Mi stai dicendo che in quel caso dovremmo andare tutti a vivere lì?»

«Sì, in quel caso ci dovremmo trasferire ad Amsterdam.»

C'è stata una lunga pausa.

«Non me l'aspettavo.»

L'ho guardata e questa volta ero io a non sapere cosa dire, poi ho aggiunto: «Potremmo provare, se poi stiamo male torniamo indietro».

«Se tu inizi a lavorare non torniamo di certo, per lo meno non prima di qualche anno.»

Si è aggiustata il cuscino dietro la schiena, quella situazione la faceva sentire scomoda.

«Potrebbe essere una bella esperienza anche per noi come famiglia. Amsterdam è una città meravigliosa, ci sono i canali come a Venezia. Ci possiamo prendere un appartamento con vista sull'acqua. Nella nostra situazione un'avventura potrebbe essere quello di cui abbiamo bisogno, un cambiamento, una ventata d'aria fresca.»

Stavo cercando di vendergliela, ma lei non era facile da ingannare, mi sentivo anche un po' stupido. Avevo paura di tirare fuori il discorso di Ibiza, era stato un periodo veramente difficile e non volevo che lei potesse ricordarmi che in quell'occasione ero stato io a spegnere ogni entusiasmo.

«Quando devi rispondere?»

«Entro qualche giorno. Dovesse andare in porto si tratterebbe di settembre.»

Mi aspettavo un no deciso, invece ha detto: «Ci devo pensare».

«Certo, naturalmente.»

Avevo risposto con una gentilezza eccessiva che aveva dato fastidio perfino a me.

Quella sera abbiamo guardato un paio di episodi

di una serie tv, ma ognuno di noi era nella propria bolla e pensava ad altro.

Era surreale, riuscivamo a parlare della possibilità di lasciarci e al tempo stesso progettare di trasferirci ad Amsterdam insieme.

9

Anche se vivo a Milano da più di vent'anni, e nonostante ci si frequenti poco, gli amici di quando ero bambino sono ancora famiglia per me. Sono sempre felice quando torno nella mia città per una rimpatriata.

Era da poco passato il compleanno di Nicola, con lui ho un legame speciale, siamo stati compagni di classe dalle elementari fino al liceo.

E quando ho detto ad Anna che i miei amici avevano organizzato un sabato sera per festeggiarlo, mi ha subito risposto: «Ti fa bene andarci, quando stai con loro poi sei sempre più leggero. Va', divertiti e torna a casa allegro».

Sono partito un po' in anticipo, volevo passare a salutare mia madre e fare una passeggiata nella mia vecchia città. Ero pieno di ricordi, ne emergeva uno a ogni angolo. Sono passato sotto la nostra prima casa, quella in cui sono cresciuto. Dalla strada guardavo la finestra della cucina e cercavo di ricostruire perfettamente l'appartamento. Ho realizzato che in quegli anni ero felice, più di quanto mi rendessi conto allora. Forse, invece che desiderare di essere felice, sarebbe bastato imparare a riconoscere quando lo ero.

Avrei voluto indietro uno di quei giorni, avrei voluto incontrare il ragazzo che ero. L'avrei abbracciato, gli avrei detto di stare tranquillo e che tutto sarebbe andato per il meglio, nonostante le paure e le difficoltà.

Sono arrivato alla cena un po' malinconico, ma appena ho visto i miei amici ho avuto il desiderio di stare bene, di godermela.

C'erano Nicola e gli altri del nostro gruppo, più qualcuno che non conosco.

Erano già tutti seduti, c'era un'allegra confusione. Mancavano solo Gianluca e Marcello, ho chiesto quando sarebbero arrivati.

«Marcello è in ritardo come sempre, Gianluca non viene» ha risposto Alberto.

«Come non viene?»

«Deve andare con sua moglie a una cena di gala. Probabilmente in questo momento è a casa, chiuso in bagno a piangere perché non è qui con noi.»

«E non poteva venire? È una cosa di lavoro?»

«Sì, di lavoro» ha detto Roberto. «Fotoreporter per la precisione.»

Tutti sono scoppiati a ridere, ero l'unico a non capire. Non frequentarli ogni giorno mi faceva perdere dei pezzi, restavo indietro.

«Perché fotoreporter? Ha cambiato lavoro?»

«Sua moglie è andata in fissa con Instagram, vuole fare la influencer e quindi lo trascina in posti, eventi, e lo obbliga a farle un sacco di foto che poi lei posta.»

«È uno scherzo, dài.»

«Non è uno scherzo, lei va solo in situazioni che sono interessanti da postare. A questa serata ci sono anche degli sportivi, il sindaco e la *crème* della città. Lo obbliga anche a postare foto sul suo profilo e a scriverci sotto cose romantiche.»

Siamo scoppiati a ridere.

«A Gianluca!» ha detto Nicola alzando una birra.

«A Gianluca!» abbiamo gridato tutti prima di bere alla sua salute.

Durante la cena ho avuto l'impressione che molti fossero invecchiati in maniera tremenda, mi sembravano la brutta copia di quello che erano stati. All'improvviso mi sono chiesto se anch'io facessi a loro lo stesso effetto. Ero invecchiato così male?

Roberto ha preso il menu e lo ha allontanato per riuscire a leggere.

«Vuoi il bastone per i selfie?» ha detto Luca, e tutti abbiamo riso.

Di fronte a me c'era Loredana. È sempre stata la ragazza più bella del gruppo, quella che tutti sognavamo e su cui facevamo fantasie.

Era ancora una bella donna. Non la ricordo single, è sempre stata fidanzata, pochi ragazzi e storie lunghe. L'ultima con Edoardo, un rugbista, quando aveva vent'anni. Si sono sposati e hanno avuto due figli, ormai grandi.

Quando eravamo ragazzini, c'era un'affinità tra noi. Io avrei voluto passare dei pomeriggi interi a letto con lei, a lei piaceva chiacchierare, diceva che ero simpatico e intelligente. Spesso ci consigliavamo libri o ci raccontavamo quelli che stavamo leggendo.

«Scusate il ritardo, sono dovuto passare da mia mamma per lasciare la borsa della palestra.»

Marcello è entrato tutto abbronzato, con una maglietta attillata che gli segnava i pettorali e i bicipiti. È venuto direttamente ad abbracciarmi e mi ha dato due pacche rumorose sulla schiena.

«Sei in superforma» gli ho detto.

«Sto spingendo in palestra. Da quando sono single mi è tornata una forza che non sentivo da anni.»

Si era appena lasciato con Paola, un matrimonio lungo dodici anni. Quando sono tornato a sedermi ho detto a Nicola: «Sembra rinato».

«Sta uscendo con una di ventiquattro anni.»

«E cosa si dicono?»

«Niente per la maggior parte del tempo. Però dice che con lei gli è tornato un cazzo d'acciaio. Con Paola ormai non gli veniva nemmeno più duro.» Dopo una pausa ha aggiunto: «E si sa, non c'è niente di più triste al mondo che scopare col cazzo semiduro».

Ho riso. Poi ho pensato che succedeva anche con Anna. La mia erezione aveva perso un po' di potenza nell'ultimo periodo. Mi sono chiesto se sarei finito come Marcello, a frequentare una ventenne e a farmi lavare la roba sporca da mia madre.

Al momento di ordinare, Roberto ha chiesto una pizza senza formaggio, Roberto il rocker del gruppo, sempre in giacca di pelle con la catena ai jeans e gli stivali.

«Ma è ancora vegano?» ho chiesto a Nicola.

«Sì, non molla.»

«È incredibile, si mangiava delle bistecche e delle salsicce di maiale che bisognava spararagli per fermarlo.»

«Invece è perfetto, tutto torna.»

«Cosa vuoi dire?»

«Voleva diventare famoso con la musica, ma il mondo gli ha detto che non era così speciale, e allora, visto che il sistema lo ha rifiutato, lui si è messo a rifiutare il sistema per sentirsi diverso dalla massa.»

Ho guardato Nicola, aveva sempre una visione acuta sulle persone e sulle situazioni.

Ha aggiunto: «Se fosse diventato famoso, ora si mangerebbe certe bistecche che non possiamo nemmeno immaginare».

Siamo scoppiati a ridere.

Luca si è avvicinato e mi ha chiesto di accompagnarlo fuori, voleva fumare una sigaretta. Eravamo già un po' ubriachi, lui più di me. Mi ha domandato come stavo.

«Sono in crisi con Anna.»

«Che succede?»

«L'altra sera mi ha chiesto se la amo ancora e per la prima volta le ho detto che non lo so più. Sono confuso.»

Anche Luca, come Marcello, era separato, solo che lui aveva due figli poco più grandi di Matteo.

«E tu? Come stai?» gli ho chiesto.

«È dura, mi mancano i bambini.»

«Non te li fa vedere?»

«È costretta, ma appena può mi dice di no, si vendica così.»

«Con loro come va?»

«Ci adoriamo.»

A un tratto i suoi occhi sono diventati lucidi.

«Sai quale è stato il più grande errore che ho commesso con lei?»

Sapevo che l'aveva tradita e pensavo si riferisse a quello.

«Ho aspettato troppo prima di andarmene. Ho avuto mille ripensamenti e ho finito per odiarla. Lei lo ha capito e ha iniziato a odiare me. Se me ne fossi andato prima sarebbe stato tutto più semplice.»

Ci siamo incamminati e davanti alla porta si è fermato: «Tu vai, aspetto un secondo per entrare».

Credo volesse prendere un po' di aria fresca per cancellare la traccia di quel pianto.

Mentre rientravo mi sono domandato che tipo di ex sarebbe stata Anna, se anche lei avrebbe usato Matteo per colpirmi e farmi soffrire, oppure se sarebbe stata comprensiva. In fondo non era colpa di nessuno, amare o non amare non è una cosa che si sceglie, i sentimenti arrivano, i sentimenti se ne vanno.

Prima di rimettermi in auto per tornare a Milano, mi sono ritrovato da solo nel parcheggio con Loredana.

«Parti subito?»

«Sì. Tu abiti sempre nella stessa casa?»

«Purtroppo sì» ha detto in tono ironico.

Siamo rimasti in silenzio, non sapevo cosa dire. Non riuscivo a capire se quel nostro incontro fosse occasionale o se mi avesse aspettato di proposito.

«Ti piace ancora Márquez?» mi ha chiesto.

«Sempre, ma non l'ho più letto. Comunque, sono convinto che se lo rileggessi lo amerei come prima.»

Ero confuso, mi sembrava di sentire, tra di noi, la tensione di due amanti più che la confidenza di due vecchi amici.

«Mi fumo una sigaretta prima di tornare a casa, mi fai compagnia?» mi ha chiesto.

«Certo.»

«Ne vuoi una? Fumavi una volta.»

«Non fumo più da molti anni.»
Lei era appoggiata al cofano della sua auto, io a quello della mia, uno di fronte all'altra.
«Come è avere dei figli grandi?»
«Ogni tappa la rivivi con loro. Fanno la maturità e ti torna in mente la tua. Fanno la patente e ti ricordi quando l'hai fatta tu. Adesso stanno per uscire di casa.»
«Sei contenta o sei triste?»
«C'è differenza con i figli? Con loro ho sempre provato sentimenti opposti nello stesso momento. Sono contenta come se stesse accadendo a me, e al contempo sono triste perché non li avrò più sotto gli occhi ogni giorno.»
Abbiamo sorriso.
«Un bel cambiamento, anche per te. Tuo marito che dice?»
Ha fatto un mezzo sorriso, poi ha dato un tiro alla sigaretta. E ha cambiato discorso.
«Il tuo è piccolo, vero? Quanto ha?»
«Cinque anni, a settembre inizia la scuola.»
«Sono così belli a quella età, a volte mi verrebbe voglia di farne un altro.»
Guardavo Loredana mentre parlavo, e c'era qualcosa in lei di diverso, attraente, che non riuscivo bene a spiegarmi, durante la cena non l'avevo notato.
Ha spento la sigaretta.
«Grazie della compagnia. Per qualche secondo ho avuto la sensazione che fossimo ancora i due di una volta.»
Ho sorriso, si è avvicinata per salutarmi.
Pensavo ai soliti due baci di circostanza sulla guancia, invece lei mi ha abbracciato. Se fosse passato

qualcuno in quel momento, saremmo sembrati due amanti. Poi mi ha accarezzato una guancia e mi ha dato un bacio veloce e leggero sulla bocca.

Mentre tornavo a Milano continuavo a chiedermi che cosa fosse accaduto.

Non avrei mai tradito Anna, ma al tempo stesso non riuscivo a smettere di fantasticare su Loredana. Per un po' mi sono chiesto cosa avesse di diverso oltre agli anni, e poi l'ho capito, era la tristezza. Non quella che sentiva per i figli, una più profonda. La ragazza che rideva e sorrideva sempre adesso aveva un'espressione triste. E in questo mi ero rivisto senza saperlo.

Era stata molto onesta, questo ho pensato.

Alla fine, credo che avesse cercato di afferrare un pezzo di passato, come avevo fatto io nella mia passeggiata prima di cena. Assecondava una nostalgia per un tempo che non c'era più e per la persona che non poteva più essere.

Quando sono arrivato a casa mi sono chiesto se avrei dovuto dire ad Anna di quel bacio innocente. Ho deciso di tacere, non avrebbe capito.

In bagno mi sono lavato bene la faccia e il collo e ho annusato la camicia per sentire se ci fosse traccia del profumo di Loredana.

Pensavo che sarei rimasto sveglio a pensare a lei, invece sono crollato in pochi secondi.

Al mattino era ancora nei miei pensieri e ci è rimasta tutto il giorno, tanto che ho desiderato che mi abbracciasse di nuovo. Ho desiderato darle un bacio vero, il bacio che avevo sognato milioni di volte.

10

Anche se non era la prima crisi da quando stavamo insieme, così lontano non ci eravamo mai spinti.

In passato era capitato che Anna mi dicesse di non sentirsi amata, ma era la prima volta che metteva in dubbio il suo amore per me.

Circa un anno prima, eravamo in cucina e io stavo chiudendo il sacchetto dell'umido per portarlo giù nel bidone.

«Non mi sento amata, almeno non nel modo in cui vorrei» mi ha detto Anna all'improvviso.

«Posso amarti solo come so amare.»

Le avevo dato una risposta sbrigativa, sperando che la discussione finisse lì.

«Lo so, non puoi essere quello che voglio, e so anche che le tue intenzioni sono buone.»

Quando litigavamo, se era aggressiva riuscivo sempre a tenerle testa, ma quando si dimostrava comprensiva mi spiazzava e mi faceva sentire uno stronzo.

Ho fatto il nodo al sacchetto.

«E allora cosa c'è che non va?»

«Non mi sento amata nemmeno nel tuo modo di amare. Magari ti sei stancato, se è così me lo devi dire.»

«Non mi sono stancato» ho risposto, e sono sceso a buttare l'umido.

Sapevo che avrei dovuto dire di più, usare parole più rassicuranti, ma qualcosa mi ha frenato.

Mentre facevo le scale pensavo a cosa le avrei detto quando sarei tornato in casa. Non avrebbe sicuramente abbandonato la discussione così facilmente, a volte sembrava che lo facesse, non ne parlava più e io pensavo che fosse finita, ma poi anche a distanza di giorni ci tornava. E la cosa incredibile era che lo faceva come se fosse stata interrotta un minuto prima. Ho lasciato cadere il sacchetto nel bidone e ho capito che era colpa sua. Ecco cosa le avrei detto.

Era colpa sua perché quando ci eravamo conosciuti io non avevo legami, e non intendo di coppia, intendo cose che mi tenevano legato. Lacci. Ero uno spirito libero, rispettoso degli altri, dei loro spazi, delle loro necessità, ma libero. Quando mi ha conosciuto, questa era una delle cose che le piacevano di me, che non avevo gabbie mentali, che mi godevo la vita. Poi la qualità di cui lei si era innamorata l'aveva resa gelosa, come se avesse paura che potessi stare bene anche con altri e non più solo con lei.

Avrei voluto dirle che l'amore è come la fiamma della candela, può accenderne altre senza che la prima si spenga. Per paura, lei mi aveva messo sotto una campana di vetro e alla fine si era spento tutto, l'amore per lei, l'amore per altre cose, l'amore per me stesso. Per questo mi ero sentito soffocare. Non avevo finito il mio amore per Anna, era lei che lo aveva spento giorno dopo giorno.

Quando sono salito in casa ho taciuto, quella era la verità, e la verità quasi sempre non si può dire in una relazione. Le ho detto che mi dispiaceva e che sarei stato più attento. Volevo solo andare a dormire.

Chissà se da quel momento anche il suo amore era andato scemando, stanco di aspettare che fossi più attento.

Dopo essere usciti allo scoperto, non potevamo più far finta di nulla, dovevamo affrontare la situazione. Stava davvero accadendo? Ci stavamo lasciando? Non mi sentivo per nulla sollevato, anzi.

Quando credevo che la crisi fosse solo mia, stavo male, certo, ma avevo il controllo della situazione. Adesso poteva essere lei a staccare la spina, e la cosa mi agitava.

Come avevo fatto a non accorgermi che anche lei si era arresa? Ero così preso da me e da quello che sentivo da non aver capito che anche lei stava vivendo la stessa situazione. Eppure me ne sarei dovuto accorgere. Da tempo, abbracciandoci, avevamo smesso di fonderci l'uno nell'altra.

Cominciavo a vedere le cose sotto un'altra luce, le uscite sempre più frequenti con le sue amiche, l'amore improvviso per la corsa e le maratone. Da qualche mese, infatti, si era unita a un gruppo con cui correva tre volte a settimana.

Ci eravamo entrambi ritagliati piccoli angoli privati da cui trarre qualche gioia, come se per riuscire a tenerci vivi fossimo dovuti andare a cercare acqua da un'altra fonte.

Mi sono chiesto se Anna avesse delle fantasie, se immaginasse una vita senza di me, magari con un altro. C'era un uomo immaginario o qualcuno che già conosceva? Magari uno di quelli con cui andava a correre?

Le ho mandato un messaggio chiedendole se le andava di incontrarmi prima di passare a prendere Matteo.

Ci siamo visti dopo pranzo al parco vicino all'asilo.

Sono arrivato prima di lei. Ero agitato, l'aspettavo come le prime volte. Ora che stavo per perderla, già mi mancava.

Ho cercato di pensare a tutte le cose che non mi piacevano di noi, per convincermi che non dovevo arrendermi subito solo perché mi sentivo triste. Non potevo più lasciare che fossero le mie paure a condizionare le scelte che facevo.

Da troppo tempo stavo male e non potevo farmi prendere da sentimenti di nostalgia. Anche se ero confuso, ci tenevo ancora a lei, e soprattutto a noi.

Quando l'ho vista arrivare il cuore ha accelerato il suo battito. Ci siamo salutati, aveva un'espressione diversa sul viso, sembrava già un'altra persona.

«Scusa il ritardo.»

Non ci siamo dati nessun bacio.

«Come stai?»

Volevo sapere subito se anche lei provava quello che stavo provando io.

«Non lo so.»

«Mi dispiace da morire che ci troviamo in questa situazione.»

«Anche a me.»

Era difficile iniziare, avevamo avuto altre crisi in passato, ma questa era la resa dei conti.

Anna mi ha guardato, per assurdo eravamo più vicini su quella panchina di quanto lo fossimo stati nell'ultimo anno.

«Credi che ci sia ancora una possibilità per noi?» le ho chiesto, volevo sapere.

«Non lo so, so solo che non sono felice. E neppure tu lo sei. Sono stanca, è come se avessi finito le forze e la voglia di lottare. Soprattutto sono stanca di me, di come sono in questa relazione. Non mi piaccio per niente.»

Le parole uscivano dalla sua bocca in maniera naturale, senza intoppi. Mi sono chiesto se le avesse pensate prima, se si fosse preparata un discorso.

«È così anche per me.»

È difficile vivere felici quando si ha la convinzione di poter essere altrove una versione migliore di ciò che si è. Poi le ho chiesto: «Cosa facciamo?».

Speravo che lei avesse una risposta.

Senza guardarmi negli occhi ha detto: «Non lo so. Ancora sento le parole che mi hai detto l'altra sera. Non ho una soluzione».

Ho avuto il desiderio di abbracciarla, di prenderle la mano. Ci stavamo allontanando, come se per la prima volta ci trovassimo su due barche diverse e ognuno andasse al largo sulla propria.

Anche se era la cosa che avevo pensato e perfino desiderato negli ultimi mesi, in quel momento non ero preparato a rinunciare a lei. Anni prima, sapere che era la mia ragazza mi aveva fatto sentire l'uomo più fortunato del mondo. Era una donna per la quale valeva la pena tutto.

Avrei voluto afferrarla e non lasciarla andare da nessuna parte, dirle che, nonostante quello che stava succedendo, lei era sempre la cosa più bella che mi fosse capitata nella vita. Qualcosa mi ha bloccato.

Se lo avessi fatto saremmo stati bene in quel momento, e forse anche la sera, ma il giorno dopo ci saremmo ritrovati nella stessa vita di prima e la tristezza ci avrebbe travolti di nuovo.

Ho scelto di essere pragmatico.

«Cancelliamo il viaggio?»

Ci ha pensato.

«Mi dispiace per Matteo, gli abbiamo promesso troppe cose. Sono mesi che non parla d'altro che di koala e canguri e campeggi.»

Matteo ci sarebbe rimasto male, ma poi col tempo se ne sarebbe dimenticato. Se avessimo deciso di lasciarci avremmo dovuto farlo il prima possibile, e partire sarebbe stata una perdita di tempo. Se invece avessimo deciso di provarci ancora era comunque meglio tentare a casa, nelle nostre abitudini, piuttosto che affrontando un viaggio.

Anna ha proseguito: «Dal punto di vista pratico è più complicato cancellare tutto. Matteo non ha più il suo posto all'asilo, tu forse puoi rientrare in ufficio senza problemi, io ho posticipato il mio primo giorno di lavoro proprio per il viaggio e non ho voglia di stare altri mesi a casa. Sarebbe tutto da rivedere e riprogrammare».

Poi, con un tono più risoluto, ha aggiunto: «Prima di chiederci se partire dovremmo chiederci di noi».

Stavamo parlando di cosa fare delle nostre vite come se stessimo decidendo dove spostare il divano. Nessun pianto, nessun cedimento o tremore. Eravamo distaccati.

«Faccio tardi a prendere Matteo.»

Si è alzata dalla panchina.
«Vengo anche io.»
Matteo era sempre felice quando ci vedeva insieme all'uscita dell'asilo.
E infatti ci è venuto incontro gridando di gioia, mentre io e Anna recitavamo la nostra parte di coppia unita. Davanti a lui, ma anche davanti alle insegnanti e agli altri genitori.
Gli abbiamo preso un gelato e poi siamo tornati ai giardinetti. Dopo averlo spinto sull'altalena, mi sono seduto di nuovo con Anna. Restavamo in silenzio.
«Papà, mamma, guardate!» ci ha gridato Matteo mentre saltava come un canguro.
Prima che tornassi in ufficio, Anna ha detto: «Credo sia meglio fare questo viaggio, Matteo ne avrà sempre un bel ricordo. E noi forse possiamo usarlo per cercare di capire, come un banco di prova».
Era stata diretta, chiara. Non avevo nessuna idea per controbattere.
«O la va o la spacca» ho detto per sdrammatizzare.
Nessuno dei due ha riso.
«Che situazione» l'ho sentita dire mentre mi allontanavo.

11

«Ho pensato molto ad Amsterdam, non me la sento. Mi dispiace» mi ha detto sulla porta, mentre uscivo per andare in ufficio. «Non è il momento giusto, non siamo nella condizione di affrontare un cambiamento così radicale. Sia che decidiamo di stare insieme, sia che decidiamo di lasciarci.»

Ho sentito subito salirmi dentro una rabbia e una frustrazione difficili da governare.

«Ne parliamo questa sera.»

In ufficio ho passato ore a litigare e discutere con Anna nella mia testa.

La sera mi sembrava tutto uno scherzo, stavamo affrontando la stessa discussione di quando lei voleva andare a Ibiza, solo che questa volta a parti invertite. Spesso desideriamo le stesse cose ma in momenti diversi.

«Ad Amsterdam sarei di nuovo sola, e non ne ho più voglia. Non mi va di andare lontano dai miei, dalle mie amiche, non mi va di lasciare questa casa, perfino i miei amici della corsa.»

Non potevo crederci, solo tre anni prima era lei a voler staccare da tutto e tutti. Sembrava che si stesse vendicando, soffocando il mio sogno.

«Se per te è proprio importante, puoi fare avanti e indietro. Ma io non voglio trasferirmi.»

Ho fatto un lungo respiro. Sapevo che dovevo stare calmo e non perdere la pazienza.

«Questa cosa mi renderebbe felice, Anna, lo sai.»

«È sempre così.»

«Cosa?»

«Pensi che la felicità sia sempre nel futuro. Poi, quando il futuro diventa presente tu hai già spostato la felicità da un'altra parte, come l'orizzonte.»

Non capivo cosa stesse cercando di dirmi. Avevo un nervoso che mi mangiava lo stomaco.

«Vado a letto.»

Ed è andata in camera, io sono rimasto a dormire sul divano.

Il mattino seguente, fuori dall'ufficio di Oscar, non sapevo che fare. La segretaria mi ha fatto accomodare, lui sarebbe arrivato subito.

Mi guardavo intorno, la stanza era piena di fotografie di lui che stringeva la mano a personaggi importanti. Ce n'era una perfino con il papa, da cui era stato in udienza qualche anno prima. Su una mensola, premi e riconoscimenti. Si capiva che Oscar non doveva trattare con la moglie le sue scelte professionali. Lui guidava, lui decideva e la famiglia seguiva. Io invece dovevo parlarne con Anna, anzi, ne avevo parlato con Anna e lei mi aveva detto no.

Era difficile accettarlo, mi sembrava stupido, ingiusto, sbagliato, addirittura scorretto.

«Come va?» mi ha chiesto Oscar entrando in ufficio sorridente e abbronzato.

Mi sono alzato.

«Allora che hai deciso?»

Sono rimasto un paio di secondi in silenzio, sapevo che mi sarei pentito per il resto della vita. Mi vedevo così bene nel nuovo ufficio con il nuovo incarico, mi sentivo capace di trascinare tutti. Avrei anche potuto dimostrare a Sergio di essere più in gamba di lui, finalmente. Invece dovevo dire no a tutte quelle cose, perché Anna non voleva trasferirsi ad Amsterdam.

Ho guardato Oscar.

«Accetto la proposta.»

«Sapevo che avresti accettato.»

Non era per nulla sorpreso, io invece sì, era come se qualcosa dentro di me avesse preso la parola.

«Non sarà facile, gli olandesi stanno spingendo molto per il loro candidato, ma sono fiducioso. Tu porteresti una grande ventata di aria fresca ed entusiasmo.»

In ascensore mi sono guardato nello specchio e ancora non capivo cosa fosse successo.

Ho pensato che non avesse senso dirlo ad Anna, avrei aspettato. Magari non mi avrebbero nemmeno scelto.

12

Siamo atterrati a Auckland, Nuova Zelanda, all'inizio di marzo. Era stato un viaggio lunghissimo, e dall'aeroporto siamo andati diretti in hotel, ci siamo fatti una doccia e una breve passeggiata. Poi, dopo cena, subito a letto. Eravamo a pezzi.

Al mattino siamo andati a prendere il camper. Ero nervoso, sapevo di dover fare strade sconosciute su un mezzo che non avevo mai guidato e di cui non avevo nessuna esperienza. Mettere l'acqua, togliere l'acqua, svuotare il bagno, attaccare la corrente, tutte cose nuove.

Mentre compilavo i documenti per il noleggio, ho guardato Anna e Matteo seduti in sala d'attesa. Lui giocava da solo con un piccolo dinosauro, lei stava cercando qualcosa nella borsa. Mi ha preso una malinconia per la nostra situazione.

Si dice che uno dei segreti per una relazione duratura sia guardare ogni giorno la persona che si ama come se fosse la prima volta. Non mi sembrava una cosa così facile, almeno non lo era per me. In passato mi ero sforzato di farlo, le compravo dei fiori, organizzavo una cena a due, la abbracciavo sul divano davanti alla televisione, le mandavo dei messaggi teneri durante il giorno. Anche se non erano gesti spontanei, per magia tornavo a sentire davvero l'amore delle prime volte, ero invaso dalla speranza che tutto potesse ripartire e mi sentivo sollevato. Mi convincevo che quel nostro malessere fosse solo una fase, e che se non avessimo mollato i momenti belli sarebbero tornati. Forse l'unico segreto di una storia che dura è non rinunciare l'uno all'altra. Poi, però, bastava che si lamentasse per come avevo caricato la lavastoviglie e tutti i miei propositi crollavano come un tempio di cartapesta.

«Mi segua» ha detto il ragazzo dell'autonoleggio prima di consegnarmi le chiavi del camper.

«Ha già guidato a sinistra?»

«Certo.»

Ci avevo già provato una volta a Londra e non era andata poi male, quando ero sulla mia corsia dovevo solo stare lì e non muovermi, mi confondevo un po' nelle rotatorie o nelle svolte agli incroci.

Sono andato ad aprire la portiera dal lato del passeggero. Quando mi sono accorto che mancava il volante ho finto di infilare delle carte nel portaoggetti.

E il ragazzo ha finto di non accorgersene.

Alla partenza ero ancora nervoso, ma anche eccitato. Essere lì tutti insieme era una grande avventura, le paure e le insicurezze facevano parte del gioco.

Mentre guidavo a volte stavo troppo a destra, e Anna non ha tardato a farmelo notare.

«Stai attento, hai quasi invaso la corsia opposta.»

La cosa mi ha dato subito fastidio, soprattutto per

il tono che aveva usato. Quando guido non mi piace avere accanto qualcuno che mi dice cosa fare e dove andare, è l'orgoglio del guidatore.

«Te l'ho detto perché vengono delle macchine nell'altra direzione» ha specificato.

Tutto il buon umore era sparito, ed era questo che non capivo più tra noi, la velocità con cui l'atmosfera si rovinava. Erano bastate poche parole per farci sprofondare in un silenzio pesante. Era tutto così fragile che ogni volta mi stupivo.

Questo viaggio non sarà facile per niente, mi sono detto. Guardavo la strada e rimanevo concentrato il più possibile, Anna osservava fuori dal finestrino. Ognuno immerso nelle proprie riflessioni.

Una cosa che era venuta a mancare tra noi era la complicità. Non capivo come la dolcezza e la tenerezza con cui prima ci rivolgevamo l'uno all'altra fossero svanite. Battibecchi e stupide discussioni si erano fatti spazio allontanandoci e trasformando quella complicità in rivalità.

Anche se sembrava assurdo, io e Anna eravamo in competizione.

Ognuno di noi voleva dimostrare di aver ragione, era diventato importante non fare passi falsi e non concedere terreno all'altro. Questa competizione si era mangiata a piccoli morsi tutta la magia che c'era tra noi, tutto l'eccitamento che accompagnava il nostro primo periodo insieme.

Capitava per esempio che Anna mi ricordasse di dover andare insieme da qualche parte.

«Potevi anche dirmelo prima» rispondevo infastidito.

«Te l'ho detto.»

«Ma quando?»
«Tre giorni fa. Mi hai anche risposto "va bene".»
Non ricordavo mai nulla. E non capivo se era vero o se se lo fosse inventato. Succedeva anche il contrario, io ero convinto di averle detto delle cose e invece poi scoprivo che l'avevo solo pensato.
«Come ti trovi a guidare a sinistra? Mi sembri un po' più sicuro» mi ha chiesto con tono dolce. Forse si era pentita di come mi aveva parlato prima. Mi ha dato la sensazione che ci fosse un tentativo di rappacificamento.
Il fastidio e il nervoso mi si erano sciolti in mano e mi sentivo stupido per aver passato tutto quel tempo a litigare nella mia testa con lei.
«Hai paura?» le ho chiesto scherzando.
«Mi fido di te, se hai una qualità è che sai guidare.»
Ha sorriso.

13

Dopo circa un centinaio di chilometri di strada abbiamo raggiunto il campeggio di Hot Water Beach.

Mentre Anna era alla reception per farci assegnare il posto, ho ricevuto un messaggio: "Sono Loredana, volevo ringraziarti per la compagnia dell'altra sera. Hai voglia di essere ancora il mio consulente di libri? Baci".

Mi sono chiesto che cosa volesse davvero Loredana e mi sono agitato, per fortuna Anna non era con me, si sarebbe accorta subito che c'era qualcosa di strano. Ho memorizzato il numero sotto il nome "Dentista", poi ho cancellato il messaggio.

Quando Anna è tornata, ero contento di poter scendere dal camper e rilassarmi.

La spiaggia non sembrava diversa da molte altre, se non fosse stato che, scavando, trovavi l'acqua calda. Ogni famiglia, praticamente, si creava la propria piscina personale.

Sulla spiaggia abbiamo affittato una piccola pala per Matteo e un badile per me, e siamo andati in cerca del punto dove poter scavare la nostra piscina di acqua calda.

Non tutti erano buoni, a volte non si trovava niente, a volte l'acqua era così bollente da ustionare. La ricerca della vena giusta rendeva il gioco ancora più divertente ed eccitante.

Al quarto tentativo abbiamo trovato l'acqua alla temperatura giusta. Abbiamo costruito un muretto con la sabbia e in pochi minuti la nostra piscina era pronta.

Io e Anna ci siamo sdraiati per godere dell'acqua calda, mentre Matteo ha iniziato a scavare un'altra buca accanto alla nostra. Per lui la parte divertente era la ricerca.

«Attenta, amore, scotta da morire qui» ha detto un ragazzo una buca poco più in là della nostra.

Matteo mi ha guardato.

«Papà, parlano come noi.»

La ragazza ci ha sorriso.

Ci siamo presentati e abbiamo passato insieme tutto il pomeriggio.

Le prime persone con cui abbiamo fatto amicizia dall'altra parte del mondo erano italiani, la cosa mi ha fatto sorridere.

Erano una coppia sui trent'anni, si chiamavano Andrea e Vanessa. Erano in viaggio di nozze senza essersi mai sposati.

«Ci sposiamo quando torniamo dal viaggio.»

«Avete invertito le cose?» ho domandato.

«Non saremmo riusciti a fare il viaggio di nozze dopo il matrimonio, così abbiamo deciso di farlo prima» ha risposto lei.

Sorrideva, sembrava compiaciuta nel raccontare quella piccola trasgressione.

Erano belli da vedere, pieni di entusiasmo, innamorati. Erano nel periodo in cui tutto sembra una favola.

Ho pensato a quando io e Anna eravamo stati così. Mi sono chiesto se anche a loro sarebbe successo quello che era successo a noi. Vanessa ha giocato molto con Matteo, tanto che lui le si è affezionato subito. Andrea, nel frattempo, la guardava. Ricordo ancora la stessa immagine, qualche anno prima: Anna che giocava con il figlio di un amico. Era ciò che desideravo, il futuro che volevo vivere, ne ero stato sedotto.

Una voce mi ha suggerito di mettere in guardia Andrea, quello che lui immaginava non sarebbe mai stato quello che avrebbe vissuto.

«Stiamo insieme da un anno e mezzo, sei mesi fa siamo andati a convivere e dopo tre settimane le ho chiesto di sposarmi» ha detto Andrea, in tono rilassato, seduto nell'acqua calda.

Vanessa ha sorriso. La pazzia di fare tutto così in fretta non li aveva spaventati, anzi, era diventata fonte di certezze. Come a dire: tra due persone come noi non c'è spazio per la prudenza. Prudenza e amore stanno agli opposti. Porsi delle domande fa vivere meno quella felicità, quasi a voler insinuare un dubbio. Si è ubriachi, travolti dal linguaggio senza logica dell'amore.

«Birra per tutti?»

Volevo una scusa per potermi allontanare e stare un po' da solo. Pensavo che anche io e Anna avevamo fatto tutto di fretta e, con la lucidità di ora, più che follia d'amore sembrava incoscienza.

Si gioca col fuoco e si ride, non ci si preoccupa.

Forse, se avessimo fatto tutto con più calma, mi sarei accorto di qualcosa che non andava, avrei potuto notare qualche piccola sfumatura, imperfezione.

Mentre aspettavo le ordinazioni mi sono immaginato di tornare da Andrea e Vanessa: "Ecco la birra, e poi volevo dirvi di godervi questo periodo d'amore perché presto finirà e la carrozza tornerà a essere una zucca".

Ridevo fantasticando su come avrebbero reagito.

Poi mi è tornato in mente il messaggio di Loredana. Ho chiamato subito Nicola, volevo sapere cosa avrebbe fatto al mio posto.

«Visto come stanno le cose con Anna lascia perdere, non è il momento giusto. Loredana è come il cavallo di Troia. Se la fai entrare dentro le mura, appena c'è un momento di debolezza lei sferra il suo attacco e ti sdraia. Sarà difficile resistere. Quello che puoi fare è non lasciarla entrare adesso.»

Come sempre Nicola era riuscito a dire le parole giuste. Ho deciso di ignorare il messaggio di Loredana.

Quando sono tornato con le birre, Andrea stava raccontando della proposta di matrimonio. A quanto pare era stata Anna a chiedergli di farlo.

Durante un weekend al mare lui aveva fatto trovare a Vanessa la stanza d'albergo piena di rose, la musica accesa, una bottiglia di champagne. Sullo specchio una scritta: "Vuoi sposarmi?".

«Che bello» ha commentato Anna. Non capivo se lo pensasse veramente o se cercasse solo di essere gentile. Perché a me invece non sembrava particolarmente originale o romantico.

La prima volta che avevamo parlato di matrimonio, Anna era d'accordo con me. A nessuno dei due interessava.

Poi, invece, qualcosa dentro di lei era cambiato.

Un paio di anni prima, dopo una cena, a sorpresa mi aveva chiesto: «Pensi che un giorno ci sposeremo?».

Nella mia testa quel discorso era chiuso e archiviato.

«Siamo sempre stati d'accordo che non è una cosa per noi.»

«Ero solo curiosa di sapere se avevi cambiato idea.»

«Perché? Tu hai cambiato idea?»

Aveva esitato, poi con lo sguardo basso aveva risposto: «Ho sempre detto che non mi interessava, però adesso che c'è Matteo qualcosa è cambiato».

Avevo sentito un calore dentro di me.

«Cosa è cambiato?»

«È come chiudere un cerchio, come mettere la ciliegina sulla torta. Forse col tempo mi sono accorta di essere più tradizionale di quello che pensavo.»

«Quindi vorresti sposarti?»

Volevo essere sicuro di aver capito bene, essere sicuro di potermi preoccupare.

«Sì, mi piacerebbe essere tua moglie. Quando parlo di te e dico "il mio fidanzato" suona strano, mi sembra meno profondo di come siamo.»

Non sapevo cosa rispondere e alla fine, come sempre, mi erano uscite le parole sbagliate: «Buono a sapersi».

Anna non aveva aggiunto altro e la serata era finita nel silenzio. Da quel momento, anche se non ne avevamo più parlato, sapevo come stavano le cose.

Verso l'ora del tramonto abbiamo deciso di tornare al campeggio, anche Andrea e Vanessa viaggiavano in camper. Matteo voleva che mangiassimo tutti insieme.

Pensavo che desiderassero stare un po' da soli, invece Andrea ha risposto entusiasta: «Possiamo comprare della carne e usare la griglia del campeggio».

Anche Anna sembrava contenta di cenare con loro. Prima di fare la doccia le ho chiesto se davvero le fosse piaciuto il racconto della proposta di matrimonio.

«Non mi sono tanto soffermata sul modo in cui gliel'ha chiesto, ho cercato di immaginare più che altro quello che deve aver provato lei.»

Non ho aggiunto nulla.

«Andrea è molto affettuoso con lei.»

Ho percepito un rimprovero nelle sue parole.

«Non lo faccio apposta, non lo sono di natura.»

«Non è vero, con Matteo lo sei» ha ribattuto subito.

«Con lui è diverso.»

«In che senso è diverso?»

Non ho saputo rispondere, ho continuato a pensarci mentre mi incamminavo verso le docce del campeggio. Aver incontrato una coppia di innamorati proprio all'inizio del viaggio non era certo d'aiuto. Avremmo dovuto trovare una coppia della nostra età in crisi pesante. Mal comune mezzo gaudio.

Matteo era felicissimo, e anche a tavola si è voluto sedere vicino a Vanessa. Alla fine non voleva più andare a dormire.

Andrea e Vanessa si tenevano abbracciati, stavano guancia a guancia.

«Siete una famiglia bellissima» ci ha detto lei sognante. «Matteo poi è un bambino stupendo.»

Che non si fossero accorti della nostra crisi mi aveva sorpreso, a me sembrava così evidente. In tutta la giornata io e Anna non c'eravamo nemmeno sfiorati.

«Quando hai capito che era la donna per te?» ha chiesto Andrea.

«Veramente non sono sicuro nemmeno adesso che lo sia» ho risposto, e loro non hanno sospettato neppure un secondo che potessi essere serio. Si sono messi a ridere pensando a una battuta.

In realtà ricordavo molto bene il giorno in cui guardando Anna mi ero detto: è davvero lei.

14

Non è stato un grande gesto a farmi cadere del tutto.

Al nostro primo weekend insieme non avevamo ancora fatto l'amore, al momento di prenotare l'albergo ero indeciso se prendere una stanza o due.

Alla fine ho scelto per una, ho fatto finta che fosse una cosa normale e così è stato. Per fare bella figura ho trovato un hotel di design appena ristrutturato, un palazzo antico in cui avevano rinnovato ogni stanza dandole un nome proprio. Ero curioso di vederlo, nel nostro ambiente se ne era parlato molto. Conoscevo lo studio che l'aveva realizzato e avevo il sospetto che avrei visto cose che mi avrebbero infastidito. Non mi sbagliavo, non era bastata la vasca in mezzo alla stanza, l'architetto aveva pensato fosse una bella idea non mettere la porta al bagno, nascondendo il water dietro un muretto. Ho dovuto usare sempre i servizi vicino alla sala colazioni.

A parte il problema del water, lì abbiamo fatto l'amore per la prima volta. È stato intenso e coinvolgente.

Nei mesi a seguire abbiamo continuato a vederci,

senza chiederci se fossimo una coppia oppure no. Eravamo nella fase in cui ciò che conta è il presente.

Ci piaceva darci appuntamento davanti al portone centrale del Duomo. Quando Anna arrivava, io ero già lì ad aspettarla. Ogni volta che si avvicinava avevo l'impressione di stare dentro un film, le persone si scansavano per farla passare, lei camminava al rallentatore e i piccioni volavano nel cielo come colombe.

Era capitato di andare nel quartiere cinese, prendere dei ravioli e mangiarli seduti su una panchina.

«Potrei mangiarne mille, non riesco a smettere» le ho detto una volta.

«Anche io» ha risposto lei con la bocca piena.

«Magari ci mettono della droga o qualcosa di segreto.»

«Si spiegherebbe tutto.»

Abbiamo sorriso.

La mattina dopo, sulla porta di casa mia, prima di uscire, mi ha dato l'ennesimo bacio e mi ha guardato in silenzio qualche secondo.

«È stato bello vederti felice ieri sera» ha detto poi.

E se ne è andata giù per le scale.

Durante il giorno quella frase continuava a tornarmi in mente. Rivedevo la scena, rivedevo Anna nell'attimo in cui mi diceva quelle parole, sono state loro a farmi inciampare in questo amore. A farmi scegliere Anna.

Fino a quella mattina amavo vivere il presente insieme a lei, da lì in poi ho iniziato a immaginare un futuro, per prendere la bellezza del presente e dilatarla nel tempo.

Stavo ancora raccontando la storia ad Andrea e Vanessa quando Anna è tornata, dopo aver messo a letto Matteo.

«Sto parlando del giorno in cui ho capito che eri la donna per me.»

Anna mi ha guardato stranita, non gliel'avevo mai accennato prima. Poi ha sorriso, come se venire a saperlo fosse stata una piacevole sorpresa.

«Non gliel'avevi mai detto?» ha domandato Andrea accorgendosi del mio imbarazzo. Sono scoppiati tutti a ridere. Andrea ha voluto brindare alle anime gemelle e poi ha chiesto ad Anna: «E tu? Quando hai capito che era lui?».

Ero curioso, non avevo idea di cosa avrebbe risposto, non ci eravamo mai confessati i reciproci momenti. Anna mi ha guardato.

«La prima volta che abbiamo bevuto una cosa insieme. Ci eravamo incontrati per caso e la sera abbiamo preso un aperitivo. Era un uomo sicuro con una personalità forte, e al tempo stesso, mentre mi parlava, vedevo tutte le sue fragilità, la sua timidezza. Mi è sembrato un ragazzino un po' impacciato. Mi è entrato nel cuore.»

Per il resto della serata io e Anna siamo stati più sciolti, più leggeri e complici, non so se fosse per il vino o perché rivivere quando ci eravamo scelti ci aveva fatto sentire l'eco delle emozioni passate.

Forse Andrea e Vanessa erano l'occasione per ricordarci i due che eravamo stati. Erano la nostra macchina del tempo, non il gioco delle differenze.

Ho sentito il desiderio di avvicinarmi a lei, abbracciarla e darle un bacio ma, come accadeva spesso, non l'ho fatto.

15

Quando i nostri vicini di campeggio sono partiti, Matteo era molto triste, lui e Vanessa hanno continuato a salutarsi con la mano finché il loro camper è sparito dietro una curva.

Anna è andata a correre e dopo colazione ho chiesto a Matteo se voleva fare un giro in altalena in attesa che la mamma tornasse.

Mio padre non mi ha mai dedicato il suo tempo, per questo cerco di dare a mio figlio quello che avrei voluto avere da lui, e alla fine non so nemmeno se sia un bene. Nella vita, nel lavoro, ho fatto ogni passo nel tentativo di colmare un vuoto. La sua approvazione era la mia benzina. Qualsiasi cosa facessi, tutto ciò che volevo era il suo sguardo su di me.

Invece a me basta non vederlo qualche giorno per prendere il telefono, guardare le foto di Matteo oppure fare una videochiamata. Matteo è sempre presente per me e io per lui.

Mentre facevo tutti quei pensieri, Anna è tornata dalla corsa. Abbiamo aspettato che uscisse dalla doccia e poi siamo partiti.

Avevamo deciso di salire verso nord costeggiando l'oceano. La prima tappa si chiamava Cathedral Cove, una spiaggia raggiungibile solo in barca o a piedi. La cattedrale del nome è una roccia naturale con un passaggio a forma di triangolo che si trova a un angolo della spiaggia.

Abbiamo lasciato il camper e abbiamo fatto una lunga passeggiata immersi nella natura. In spiaggia, io e Matteo abbiamo iniziato a costruire un castello. Poi l'ho lasciato finire da solo e mi sono seduto vicino ad Anna. Non parlava molto, ho pensato che fosse arrabbiata, o triste.

«Sembri lontana, dentro i tuoi pensieri.»

«Sto provando a lasciarti il tuo spazio.»

Non l'ha detto con rancore, era calma e pacata.

«Possiamo anche parlare, se vuoi.»

Ero visibilmente impacciato, era impossibile non accorgersene. Anna ha sorriso.

«Mi dici sempre che ti sto addosso, e quando decido di lasciarti più spazio mi chiedi se sono arrabbiata. È difficile capire la giusta distanza da tenere con te. Dopo tutti questi anni ancora non l'ho imparata.»

Sono rimasto zitto.

«Se ti sto vicino, se ti cerco, mi dici che ti sto troppo addosso. Se ti lascio stare e faccio le mie cose, ti comporti come se ti sentissi abbandonato.»

Mi sono chiesto se avesse ragione.

«Non hai torto del tutto.»

Si è voltata e mi ha guardato quasi avesse visto un alieno.

«Ti fa così strano che io possa ammettere di sbagliare?» le ho detto ridendo, la situazione di immobilità tra di noi si era sbloccata.

«Papà, mi aiuti a fare la buca?» ha chiesto Matteo all'improvviso.

«Comincia da solo, poi arrivo.»

Matteo si è allontanato. Anche se mi dispiaceva perdere quel piccolo momento di vicinanza con Anna, mi sono alzato e sono andato a scavare la buca con lui.

Quando sono tornato lei era sdraiata, con gli occhi chiusi. La osservavo e mi chiedevo se stessi davvero per perderla. Una cosa mi terrorizzava, il dolore che avrei dovuto affrontare. Non riuscivo a prevederne le dimensioni. Era come quando al ristorante leggo il menu e non ho idea di quanto siano grandi le porzioni. Avrò ancora fame? Avrò ordinato troppo? E se lasciandomi con Anna fossi scivolato in una depressione che sarebbe durata anni?

«Sei sveglia?»

Anna si è portata una mano a coprirsi gli occhi dal sole.

«Non ti fa paura l'idea di stare male se dovessimo lasciarci?»

Si è seduta.

«Certo che mi fa paura, sono sicura che starò male.»

«Io sono terrorizzato.»

Ci siamo guardati in silenzio, ci eravamo appena detti una verità. Sembravamo tristi.

Mi sono sdraiato accanto a lei, che si è stesa di nuovo e mi ha preso la mano.

16

Viaggiavamo lungo la costa e ogni tanto, a ridosso di spiagge incantevoli, ci capitava di vedere dei surfisti in mezzo all'oceano.

Su una di queste spiagge abbiamo conosciuto una famiglia che si era trasferita lì da Auckland, avevano un bambino un anno più grande di Matteo, Danny, è stato lui a chiedergli senza nessuna timidezza se volevano giocare insieme. Rob ed Evelyn erano una coppia affiatata, molto disinvolti tra di loro e con gli altri.

«Facevo un lavoro che mi piaceva ma che mi costringeva a stare fuori per settimane. Non riuscivo nemmeno a vedere mio figlio. Un giorno mi sono licenziato e siamo venuti qui a vivere nella natura» ha detto Rob.

«E che fate qui?» ho chiesto.

«Abbiamo investito dei soldi in un piccolo hotel, nove stanze.»

Evelyn ha guardato Danny: «Volevamo che crescesse nella natura e non in città. L'abbiamo fatto più per lui. Ormai siamo qui da quasi tre anni e Danny è totalmente cambiato».

Ho pensato subito alla proposta di Anna di andare a vivere a Ibiza, nasceva esattamente dalla stessa motivazione. E infatti era già estasiata dalla loro storia. Mi sono domandato se più tardi, da soli, avrebbe riaperto il discorso. Non ho dovuto aspettare.

«Anche noi volevamo farlo per Matteo, ma alla fine non ci siamo riusciti. Abbiamo perso il treno.»

Il fatto che avesse usato il plurale mi aveva sorpreso e mi aveva tranquillizzato.

«Il nostro piccolo hotel è all'avanguardia per impatto ambientale. Se vi fa piacere ve lo mostriamo.»

Io e Anna ci siamo guardati, eravamo curiosi di sapere come avevano realizzato la loro idea iniziale.

Subito ci hanno portato in una grande stanza piena di giocattoli, accanto alla reception. Matteo è rimasto a bocca aperta, mentre Danny gli faceva vedere ogni cosa.

Abbiamo lasciato i bambini e abbiamo seguito Rob ed Evelyn nel tour delle stanze.

«Tutto l'hotel funziona a pannelli solari, il riscaldamento è centralizzato, si attiva e si spegne in automatico in base alla temperatura» ha spiegato Evelyn.

Era tutto in legno, molto caldo e accogliente. Le stanze erano illuminate dalla luce che proveniva da un grande buco al centro del soffitto. Tutte le altre luci, a basso consumo, si accendevano solo in risposta a dei sensori di movimento. Ogni materiale era organico, riciclato, non trattato chimicamente. Non c'erano fogne, i liquami confluivano in un'enorme vasca sotterranea, e grazie alla digestione aerobica tutto era trasformato in concime. Non c'era nemmeno l'ombra di un cattivo odore.

La mia testa ha cominciato ad andare a mille, avrei

voluto essere in ufficio a buttar giù subito delle idee. La prospettiva di Amsterdam mi eccitava, l'idea di essere il capoprogetto ancora di più. Mi sono accorto in un secondo di quanto mi mancasse il mio lavoro.

Matteo e Danny, intanto, si erano spostati in giardino e giocavano sugli scivoli e sulle altalene. Danny era molto più atletico, si arrampicava ovunque e non aveva paura di niente.

Rob mi ha portato a visitare l'orto, era fiero della sua creatura, si capiva subito che l'amava.

«Non ti manca mai la vita di prima?»

«No, anche se all'inizio non è stato facile. Non volevo lasciare il mio lavoro, avevo fatto solo quello per quasi vent'anni ed ero anche abbastanza bravo. Mollarlo sembrava non avesse molto senso.»

«E cosa ti ha fatto cambiare idea?»

«Evelyn. Sono sempre stato molto innamorato di mia moglie, avrei fatto qualsiasi cosa per lei, e un giorno ho capito che, se non l'avessi seguita in quest'avventura, con il tempo l'avrei persa. Sai, chi ti ama ti cambia.»

Il mio primo pensiero è stato che in fondo non fosse contento di quella scelta e che l'avesse fatta per lei.

«Ti sei mai pentito?»

«No, anzi. I primi tempi avevo paura di non essere in grado, poi, anche grazie a lei, ho scoperto non solo di potercela fare ma che mi piaceva pure.»

Tornando verso il camper ho voluto anticipare Anna: «Loro siamo noi se fossimo andati a Ibiza».

«L'ho pensato anche io.»

«Sei triste?»

«Hai visto Danny come gioca?»
Sono rimasto un attimo in silenzio. «Non sarei capace di mettere in piedi una cosa del genere. Di che cosa vivremmo?»
«Molte famiglie a Ibiza affittano la casa d'estate e con quei soldi vivono tutto l'anno.»
Mi sembrava di essere tornato indietro nel tempo, non potevo credere che ancora facesse questi discorsi strampalati.
«E dove andiamo a vivere? Diamo casa nostra a degli sconosciuti e tutte le estati mettiamo in piedi un trasloco?»
Non ha risposto nulla, forse nemmeno lei voleva davvero tornare sull'argomento. Non abbiamo più parlato fino a dopo cena, quando Matteo è andato a dormire e siamo rimasti soli.
«Oggi, vederli così mi ha fatto sentire triste per come siamo messi noi» ha detto Anna con tono amaro.
«Magari saremmo messi così anche se fossimo andati a Ibiza.»
«Forse sì, chi può dirlo.»
La conversazione non fluiva, si interrompeva sempre con lunghi silenzi.
«Ti va un pezzo di cioccolato?» ho chiesto, il cioccolato è una cosa che ci accomuna.
Ha annuito. Ho preso tutto quello che avevamo lì sul camper, il fondente, quello con sale marino, e poi quello alla cannella, con le nocciole, il bianco. Anna li ha guardati uno per uno e poi ha scelto quello alla cannella.
«Posso chiederti una cosa? Senza che finiamo col litigare» ho domandato. «Hai mai capito perché ti sei fissata con questa storia di Ibiza?»

Il mio interesse era sincero.
«Sì, ma non so se mi va di dirtelo.»
«Se me lo dici, ti do un pezzo di quello bianco, che è il tuo preferito.»
Ha sorriso e ha preso dalla mia mano un pezzo di cioccolato.
«Avevo paura.»
«Paura?»
«In quel periodo mi capitava di svegliarmi di notte, e pensare a cose che non mi facevano più dormire.»
La ascoltavo in silenzio.
«Mi angosciava l'idea che la vita che stavo vivendo sarebbe stata così per sempre, che non ci sarebbero più state cose eccitanti, nuove, avventurose. Che sarebbe stata tutta lì. Poi mi voltavo verso di te e tu russavi e dormivi sereno come un bambino, e capivo che quella paura era solo mia, che a te andava benissimo così. Mi prendeva un'ansia talmente grande che faticavo a respirare e non riuscivo più a riaddormentarmi.»
«Perché non me lo hai mai detto?»
«Ci ho provato, ma non capivi, o forse non riuscivo a spiegarmi.»
Siamo rimasti in silenzio.
«In una di quelle notti ho avuto il sospetto di aver scelto l'uomo sbagliato.»
Ho sentito un colpo allo stomaco.
Anna mi stava dicendo quello che veramente aveva pensato e attraverso cui era passata, e io mi rendevo conto di non essermi mai accorto di nulla. Ero preso dalle mie paure, dai miei dubbi, dai miei inspiegabili umori. Non avevo mai immaginato che dentro di lei ci fosse la stessa confusione che provavo io.

«E lo pensi ancora?»
«Di aver scelto l'uomo sbagliato?»
Ho annuito. Anche io lo avevo pensato di lei, ma sentirselo dire era tutta un'altra cosa.
«A volte lo penso, e credo sia uguale per te. Non siamo più sicuri di aver fatto la scelta giusta.»
«Sì, forse sì» ho detto, aggiungendo un "forse" che aveva ammorbidito ogni cosa.
La situazione continuava a farmi paura, mi faceva paura lasciarci, mi faceva paura andare avanti a vivere la vita che stavamo vivendo insieme.
«E poi cosa è successo?» le ho chiesto.
«Ho smesso di svegliarmi di notte, ho iniziato a dirmi che dovevo calmarmi e che magari le cose sarebbero cambiate. Ho cercato di smettere di desiderare, mi sono detta che quello che avevo era già tanto e che dovevo imparare ad accontentarmi e apprezzarlo.»
«Ha funzionato?»
Anna mi ha guardato.
«Per un po' sì. Ma eccoci qua.»
E ha fatto un sorriso arreso.
«Il vero problema non mi ha mai lasciato, a volte riesco a metterlo via, ma poi torna.»
Mi ha guardato ancora, non capivo a cosa stesse pensando, non avevo mai visto quell'espressione. Avevo paura di chiederle a cosa si riferisse, ma non potevo farci nulla.
«E qual è il problema vero?»
«Semplicemente ho una gran voglia di vivere.»
Faceva male, eppure aveva trovato le parole giuste. Era così anche per me. Avevamo entrambi una gran voglia di vivere e la tristezza stava nel fatto che insieme sembravamo non esserne più capaci.

«Sono stanca di sentirmi in pausa» ha continuato, «stanca di ripetermi di aspettare e vedere se le cose cambieranno. Ho voglia di vivere, Marco.»

«Se è quello che vogliamo tutti e due perché non ci riusciamo?»

«Non lo so. Abbiamo tutto per essere felici, ma non siamo capaci di esserlo.»

«È frustrante.»

Siamo rimasti in silenzio, poi Anna ha aggiunto: «Mi sono chiesta più volte se fossi io a non essere capace di accontentarmi, ma ora che so che anche tu senti lo stesso, comincio a pensare che davvero manchi qualcosa».

Anna aveva ragione.

Ha finito il cioccolato, mi ha sorriso, si è alzata ed è andata a dormire. Sono rimasto seduto con la birra in mano. Guardavo le stelle nel silenzio della sera e ho realizzato che sarebbe stato difficile aggiustare le cose tra me e lei.

Eravamo entrambi stanchi e spossati dalla nostra relazione, entrambi avevamo paura di una vita in cui il domani non è diverso dall'oggi.

Per uscire da quella crisi servivano forza, energia, volontà, e forse adesso non ne avevamo più.

Per quanto fosse doloroso e triste, lasciarsi era veramente l'unica soluzione possibile. Magari avevo bisogno di una donna meno complessa. Ho pensato subito a Loredana. Avrei rotto con Anna e avrei iniziato a frequentarla. Probabilmente non sarebbe stato qualcosa di duraturo, ma mi avrebbe aiutato a superare il primo doloroso periodo, era comunque stata la donna dei miei sogni di quand'ero ragazzo. Ho preso il telefono e le ho mandato un messaggio:

“Sono in Nuova Zelanda, un posto bellissimo. Non so più cosa ti piaccia leggere, dammi degli indizi: romanzi, saggi, avventura, thriller?”

Dopo qualche minuto mi è arrivato un messaggio da “Dentista”: “Una bella storia passionale... di quelle che ti prendono la pancia”.

Stavo varcando un confine e ho avuto paura. Sono andato a dormire senza risponderle.

17

La mattina, Matteo dormiva vicino a me, Anna sul letto sopra al nostro.

Ancora a letto ho ripensato alla conversazione avuta con lei e al messaggio di Loredana. Ho sentito un'ansia che mi faceva uscire dalla bolla sospesa del risveglio e mi riportava alla vita reale. Prima che mi afferrasse per i piedi e mi trascinasse dove non volevo andare, rovinandomi l'intera giornata, in silenzio ho preso il costume, la maglietta e mi sono vestito per uscire. Avevo deciso di fare una passeggiata in spiaggia.

«Dove vai?»

Matteo si era svegliato.

«Vado a fare una passeggiata in spiaggia, ci vediamo dopo. O vuoi venire con me?»

«Sì!» ha risposto entusiasta.

Sicuramente Anna era sveglia, anche se non aveva aperto gli occhi, scommetto che sperava lo portassi con me, in quell'ora di solitudine sarebbe riuscita a riposare più che in tutta la notte insieme.

L'ho vestito in silenzio e siamo usciti.

Poco prima di raggiungere la spiaggia Matteo ha trovato un bastoncino, e con un bastone può giocare da solo anche delle ore. In spiaggia correva, disegnava sulla sabbia, raccoglieva sassi e conchiglie. Lo tenevo d'occhio a distanza, mentre passeggiavo immerso nei miei pensieri.

Siamo arrivati davanti a un bar, avrebbe aperto a minuti. Ho deciso di fermarmi a comprare la colazione per tutti e tre. C'erano le cose che piacciono a noi: frullati di frutta fresca, centrifughe e soprattutto yogurt coi cereali.

Nell'attesa, mi sono seduto in spiaggia a guardare l'oceano, mentre Matteo continuava a giocare con il suo bastoncino.

Il sole ormai era alto, in acqua i surfisti seduti sulle loro tavole aspettavano l'onda perfetta. Li osservavo, davano un'idea di libertà estrema. L'avrei aggiunto alla lista delle cose che avrei dovuto provare.

Ho immaginato la loro vita: sveglia presto, surf, poi doccia e al lavoro, e la sera ancora surf fino al tramonto. Li vedevo ovunque, giravano per strada portandosi sottobraccio la loro tavola. Non pensavo di poter provare malinconia per qualcosa che non avevo mai fatto.

Guardavo quegli sconosciuti galleggiare in acqua e tutta la mia vita in un istante era messa in discussione. Ho avuto la sensazione che loro avessero fatto le scelte giuste e io quelle sbagliate.

«Papà guarda!»

Matteo mi stava mostrando quello che aveva disegnato sulla sabbia.

«È bellissimo. Che cos'è?»

«Il tetto di una casa.»

In quel momento un ragazzo si è esibito in una prodezza incredibile sulla tavola, una specie di capriola in aria.

Nel frattempo il bar aveva aperto.

«Aspettami qui, vado a prendere delle cose per fare colazione. Vuoi uno yogurt?»

«Sì.»

La ragazza dietro al bancone del bar era bella, occhi chiari, capelli lunghi quasi biondi. Indossava un bikini, aveva una pelle liscia e dorata, un seno perfetto, della dimensione e della forma che piacciono a me. Aveva un modo gentile di parlare. Mi ha sorriso e mi ha colpito subito, in un istante avevo voglia di abitare lì, davanti a lei.

Una volta ordinato, sono rimasto al bancone, e ho aspettato che lei andasse in cucina a portare l'ordine perché ero curioso di guardarle il sedere. Allora mi sono seduto su una panca di legno di fronte al mare, così, nell'attesa della colazione, potevo anche tenere d'occhio Matteo.

Ho preso il telefono, ho riletto il messaggio di Loredana.

Poi ho scattato una foto al paesaggio che avevo di fronte e gliel'ho inviata: "In questo momento sono qui. Sto ancora pensando al libro da consigliarti". La ragazza è uscita dalla cucina e invece di andare al bancone si è avvicinata, un attimo dopo era in piedi proprio davanti alla mia panchina. Si è raccolta i capelli e li ha fermati con la matita degli ordini. Un gesto che mi ha ipnotizzato.

«Sei qui in vacanza?»

«Sì.»

«Di dove sei?»

«Italiano.»
«Sono Abbie.»
«Io Marco.»
«Sei arrivato da molto?»
«Ieri.»
«Quanto ti fermi?»
«Sono in camper, mi muovo quasi ogni giorno. Oggi o domani dovrei andare nella zona di Bay of Islands.»

Le rispondevo parlando al singolare, come se stessi viaggiando da solo.

«Sono di lì.»

E mi ha sorriso di nuovo, ho dovuto distogliere lo sguardo per non sembrare un idiota.

Abbiamo continuato a chiacchierare, a quel punto il mio cervello ha iniziato a lavorare contemporaneamente su due binari. Una parte seguiva il dialogo con lei, rispondeva alle domande, cercava di dire cose interessanti e divertenti con l'intento di sembrare brillante. L'altra parte si occupava della conversazione che avveniva dentro la mia testa: perché mi fa tutte queste domande? È gentile perché sono un cliente o invece le piaccio? Potrei avere una possibilità con una così? Forse ha un debole per gli italiani.

La doppia conversazione è stata interrotta dal ragazzo della cucina, che ha portato le mie colazioni.

Ho preso il sacchetto e l'ho salutata.

«Ciao Marco, a presto» ha detto lei, e subito mi sono chiesto se il suo "a presto" fosse un invito.

Sono sceso verso la spiaggia confuso, non riuscivo a capire se fosse possibile che una ragazza così provasse interesse nei miei confronti e se avevamo appena flirtato.

«Papà!» mi ha gridato Matteo. Mi ero incamminato da solo.

«Stavi andando via senza di me?»

«No, pensavo mi avessi visto, ti ho anche chiamato con la mano.» Ho mentito, mi vergognavo con lui e con me stesso.

«Non ho visto» ha detto lui dandomi la sua manina.

Mi sono sentito una vera merda.

18

Il proprietario del bar sotto il mio ufficio si chiama Franco. Ha cinquantasei anni, sposato da trentadue, due figli ormai grandi. Per molti anni è stato un bravo papà e un bravo marito, finché ha deciso di iniziare ad andare in palestra, sentiva di doversi muovere un po' di più o forse l'ha fatto a causa di una crisi di mezza età. In palestra ha conosciuto una ragazza di trent'anni, Barbara, con cui ha iniziato prima ad allenarsi, poi a uscire e alla fine a convivere. Ha lasciato moglie e figli e ora vive con Barbara.

Ci aveva raccontato tutta la storia un giorno a fine pranzo, nessuno di noi aveva commentato, ma certo sembrava ringiovanito, più sorridente, più pieno di energia. Forse iscrivendosi in palestra non aveva mai pensato di poter piacere a una ragazza così giovane. Quando lei gli aveva fatto intuire qualcosa, dev'essergli sembrato uno scherzo. Poi, capito che invece non lo era, ha perso la testa.

Al momento non ho pensato che quella storia mi potesse riguardare, poi, da quando le cose con Anna si erano complicate, mi ritrovavo a domandarmi se avessi ancora un mercato e a che tipo di donna potessi piacere.

Un giorno, al ritorno dall'ufficio, sono capitato davanti a un negozio di camicie. Erano tutte colorate e la vetrina invogliava a entrare. Ho deciso che ne avrei comprata una. Sono entrato, ma non riuscivo a scegliere il colore, ogni volta che ne prendevo una in mano sentivo la voce di Anna che ci trovava qualche difetto. Allora ho provato a immaginare quale avrebbe scelto lei, alla fine ero così confuso che le ho rimesse tutte al loro posto e sono uscito.

Fuori, sul marciapiede, mi sono sentito un idiota, a quarant'anni passati non ero più in grado di comprarmi neanche una camicia.

Prima di Anna ero indipendente in tutto. Mi sceglievo i vestiti, facevo la spesa, cucinavo, tenevo in ordine la casa, pagavo le bollette, decidevo dove andare in vacanza. Non chiedevo niente a nessuno, stavo al timone della mia vita per ogni cosa.

Quando ero piccolo, per colazione mio nonno faceva un piccolo buco in un uovo e poi lo beveva. Alla fine mi dava il guscio vuoto. Anna ha fatto lo stesso con me, mi ha svuotato ed è rimasto solo il guscio. Era assurdo, era stata lei a creare l'uomo che ero, e adesso quell'uomo non le piaceva più.

«Che ne pensi di questo cappello in vetrina?»

Anna ha interrotto il flusso dei miei pensieri. Passeggiavamo nel paesino a ridosso della spiaggia e lei era ferma davanti a un negozio.

Non lo so.

Ho uno strano rapporto con i cappelli, ho sempre creduto di non saperli portare e non ho mai osato comprarmene uno. Quel giorno, invece, siamo entrati nel negozio, ne ho provati un paio, uno mi piaceva, ma non ne ero convinto.

Il commesso di fronte alla mia indecisione ha detto: «Portare il cappello è una questione di atteggiamento, di sicurezza in se stessi. Non ti sta male, sei tu che non ti senti a tuo agio».

Mi sono guardato allo specchio, all'improvviso mi sono chiesto cosa avrebbe detto Abbie, e alla fine l'ho comprato.

«Ero convinta che alla fine non lo avresti preso, come fai sempre» mi ha detto Anna all'uscita.

Mi guardavo intorno e, a ogni ragazza che vedevo, mi chiedevo se con lei avrei potuto avere una chance. Ho sorriso.

«Bastava un cappello per vederti felice» ha detto Anna, ignara di tutto.

Ho cominciato a fantasticare su una vita diversa, immaginando come sarebbe stata se fossi stato ancora single.

La mattina seguente mi sono svegliato presto, volevo andare al bar e prendere la colazione per tutti. Prima di uscire ho indossato il cappello nuovo.

Nel tragitto, ho avuto la tentazione di togliermelo, avevo paura di sembrare ridicolo. Ma poi ho pensato alle parole del commesso, era questione di atteggiamento.

Sono arrivato presto e ho aspettato seduto in spiaggia, osservando il mare e i surfisti. Quando ho sentito dei rumori provenire dal bar, il cuore ha iniziato a battermi più forte, ero emozionato. Mi sono chiesto come mai fossi così coinvolto.

Abbie rappresentava qualcosa per me, era una risposta a un desiderio più profondo, anche se sapevo che con lei non sarei andato da nessuna parte. Nulla aveva senso, ma io non smettevo di sognare.

Mi sono alzato, ma al bancone è comparso un ragazzo, mi ha chiesto cosa volessi. Ho ordinato la colazione e sono rimasto in piedi nella speranza che lei spuntasse da dietro la porta.

«Sei solo oggi?» ho chiesto.

«Sì, Abbie ha il giorno di riposo.»

Mi sono seduto fuori dal bar ad aspettare l'ordinazione. Mi sono visto lì da solo col mio cappello in testa e in un istante è apparso in maniera chiara quanto fossi patetico. Mi sono chiesto come fossi finito lì.

Un ragazzo, con la sua tavola da surf e la muta calata fino alla vita, ha ordinato un frullato e si è seduto accanto a me. Avrà avuto poco meno di trent'anni.

«È difficile imparare?» gli ho chiesto.

«No, un po' alla volta si riesce.»

«Anche per uno della mia età?»

«Non mi sembri poi così vecchio» mi ha sorriso. «Se ti va, oggi pomeriggio alle cinque posso darti una lezione. Non mi devi pagare, la prima è gratis.»

Non ero pronto, anche se mi sarebbe piaciuto provare. Mi sentivo già abbastanza ridicolo con il cappello, non mi andava di sentirmi ridicolo anche su una tavola da surf.

«Magari un'altra volta, oggi proprio non riesco.»

Ho preso la colazione e mi sono incamminato verso il camper.

19

«Wow, la colazione anche oggi!» ha detto Anna quando mi ha visto tornare.

E la giornata ha ingranato con il buon umore.

Ci siamo diretti a Bay of Islands, dove avremmo potuto uscire con una barca a vedere i delfini. Era una giornata di sole pieno, il cielo era azzurro, senza nemmeno una nuvola.

Matteo era elettrizzato, e lo è stato ancora di più quando i delfini ci sono venuti vicino e hanno saltato tutti insieme. La sua gioia, la sorpresa mi hanno toccato profondamente. In quei momenti il pensiero di lasciare Anna diventava impossibile e mi tormentava.

La sera la felicità di Matteo ci aveva completamente contagiato, abbiamo riso, parlato, senza nessuna tensione.

Dopo cena abbiamo anche bevuto un bicchiere di vino.

Anna mi sorrideva.

«Ci vorrebbe un vero motivo per lasciarsi, un tradimento, un gesto estremo, sbagliato, doloroso» ho detto.

«Hai ragione. Questa cosa senza nome è snervante.»

Abbiamo dormito nello stesso letto, abbracciati. Forse eravamo stanchi della nostra situazione, forse volevamo prenderci una tregua. Ho iniziato a baciarle il collo, morsicarle l'orecchio, accarezzarle le gambe. Come succedeva spesso quando sentivo il profumo della sua pelle, quando la toccavo, quando la baciavo, mi veniva voglia di fare l'amore. Dopo tutti questi anni insieme, dopo tutti i momenti difficili, non avevo mai smesso di desiderarla.

La nostra vita sessuale non aveva mai avuto grandi momenti di crisi. Da quando c'era Matteo era una sessualità rubata, più silenziosa. Era successo di accendere la televisione e mettere Matteo davanti a un cartone animato con due biscotti in mano, poi scappare in bagno. Non ci spogliavamo neanche, non volevamo sprecare secondi preziosi. Anna appoggiava le mani al lavandino, si abbassava i pantaloni e io la prendevo così, da dietro, guardandoci allo specchio. Era la stessa sensazione di quando da ragazzino rubavo le caramelle al supermercato. C'era qualcosa di proibito e meno formale rispetto a quando facevamo l'amore a letto.

Eravamo in piena crisi, eppure nel letto di quel camper, abbracciato ad Anna, avevo una voglia incredibile di lei.

Con la mano con cui le accarezzavo le gambe le ho spostato le mutandine, ma mentre stavo per raggiungere la sua parte più intima Anna mi ha fermato: «Restiamo così».

Durante i primi tempi la prendevo ovunque fossimo, sul divano, in cucina, in camera, in bagno, e facevamo l'amore così. Poi Anna ha iniziato a dirmi che le mie attenzioni non erano spontanee, sincere, ma che avevano uno scopo sessuale e così a volte preferivo lasciar perdere.

Dopo tanti anni con lei, non ho ancora capito questi suoi momenti.

Nel camper sono rimasto abbracciato a lei e non ho insistito, perché non volevo sentirle dire la solita frase: "Puoi anche essere affettuoso senza che ogni volta finisca nel sesso".

Al mattino la voglia era passata, ho preso il caffè e mi sono seduto fuori.

Nel posto libero accanto a noi è arrivato un ragazzo, viaggiava da solo, con una bicicletta. Aveva capelli lunghi, pantaloni larghi e una maglietta arancione.

Dalle borse della bici ha tirato fuori una tenda e l'ha montata.

Poi si è preparato un tè col suo fornelletto e si è seduto all'aperto, scriveva su un taccuino. Ho immaginato fosse il suo diario di bordo.

Era solo, aveva fatto tutte le operazioni senza mai alzare lo sguardo per capire se qualcuno lo stesse osservando. Sembrava connesso con se stesso, sprofondato dentro ciò che faceva. Ne ero attratto. Forse invidiavo la leggerezza del suo bagaglio, la sua solitudine, la sua indipendenza.

Emanava un senso di libertà. Mi ha fatto pensare immediatamente a quando viaggiavo solo. Non dovevo parlare con nessuno se non mi andava, rimanevo in silenzio anche ore.

Guardavo quel ragazzo e desideravo essere lui. Cercavo di capire che tipo fosse, da dove potesse venire. Sembrava tedesco, olandese, svizzero.

Mi immaginavo che lavoro facesse quando non viaggiava. Poi ho anche pensato che il viaggio potesse essere tutta la sua vita. Sembrava perfetto, con la sua bicicletta, con la tenda e le poche cose che aveva con sé. È rimasto seduto a sorseggiare il suo tè e a scrivere per quasi due ore.

Qualche giorno prima di partire per il viaggio era passato in ufficio il figlio ventiduenne di un collega.

L'avevo incontrato davanti all'ascensore e mi aveva chiesto se sapevo quale metropolitana prendere per andare in stazione. Gli avevo detto che lo avrei accompagnato in auto a una fermata vicina. Durante il tragitto mi aveva raccontato che stava andando a San Diego, aveva trovato lavoro in un ristorante e aveva deciso di partire.

«Quanto pensi di fermarti?»

«Non lo so. Mi sono iscritto a una scuola di cinema, quindi ho la possibilità di stare più dei tre mesi da turista. Vedo come mi trovo e poi decido.»

L'avevo guardato camminare verso la stazione della metropolitana, come un innamorato, finché era sparito scendendo le scale. In quel momento lo ero, totalmente innamorato, non di lui, ma della sua vita, di quello che stava per succedergli. Posti nuovi, nuove amicizie, ragazze con cui fare l'amore. Le notti a casa di sconosciuti a qualche festa, e risvegliarsi al mattino sul divano o sul tappeto o magari in spiaggia. Un sacco di prime volte.

Ho sentito un'invidia verso quel ragazzo che non

avevo mai provato in vita mia, avrei voluto tornare indietro, parcheggiare e seguirlo.

Avevo un sapore amaro in bocca, una tristezza e una malinconia, nel sapere che per me la porta dell'avventura era ormai chiusa.

20

La mattina presto la luce filtrava da dietro le tendine e illuminava l'interno del camper. I rami toccati dal vento facevano muovere i riflessi, creavano delle onde ipnotiche che mi catturavano, facendomi entrare nella giornata con delicatezza.

Mi sono alzato, la tenda del ragazzo, il fornelletto, tutto era come la sera precedente. Stava ancora dormendo.

Matteo è uscito ed è venuto a sedersi in braccio a me.

Anna ha preparato la colazione, abbiamo mangiato tutti e tre insieme seduti sulla panca. Poi lei ha detto che sarebbe andata a fare la spesa, mancavano frutta e verdura, anche la birra era quasi finita.

«Matteo, stai col papà, torno subito» gli ha detto mentre era tutto preso a giocare con i suoi giochi.

«Vengo con te.»

«E va bene, mettiti le scarpe.»

Ero contento che andassero, potevo stare un po' tranquillo. Ho preso un libro e sono tornato fuori a leggerlo.

Dopo qualche minuto il ragazzo della tenda si è avvicinato.
«Credo sia di tuo figlio.»
E mi ha allungato un piccolo dinosauro con cui giocava sempre Matteo.
«Grazie, sono Marco.»
«E io sono Elias.»
Subito mi ha chiesto: «Sei italiano?».
«Si sente dal mio inglese?»
«Vi ho sentito parlare. Mi è sempre piaciuta la lingua italiana, sembra che cantiate quando parlate.»
«E tu di dove sei?»
«Norvegia.»
Avrei voluto dire qualcosa anche io sulla Norvegia, ma non mi veniva in mente nulla, a parte salmoni, camicie a quadretti rosse, fiordi, uomini con la barba, scarponcini nocciola.
«Sto facendo un caffè, ne vuoi un po'?» mi ha chiesto, e tutte le mie teorie su quanto amasse la solitudine sono crollate in un secondo.
«Volentieri.»
Ero felice di quell'invito.
Ci siamo seduti sulle due panche, uno di fronte all'altro.
Mi ha raccontato che da tre anni passava sei mesi in Norvegia e per gli altri sei viaggiava.
«Quattro anni fa è successo qualcosa che ha cambiato la mia vita. Ero perso, non sapevo più chi fossi, cosa desiderassi.»
Lo ascoltavo, ero curioso.
«Avevo un lavoro fisso, da impiegato. Mi sono licenziato, mi sono fatto dare la liquidazione. Non erano molti soldi, ma per un po' sono bastati. Adesso,

quando sto in Norvegia faccio lavori diversi. A volte il muratore, a volte sto alla pompa di benzina, a volte in un locale. Ho sempre il mio piccolo appartamento e non mi serve molto per vivere.»

Io non sarei riuscito a rinunciare al mio lavoro. Anche durante quel viaggio, mi capitava di pensare che mi stavo perdendo qualcosa in ufficio. Controllavo la posta e leggevo le e-mail di cui ero in copia conoscenza, e mi sembrava di essere rimasto indietro. Il fatto che, anche in assenza di me, tutto procedesse senza intoppi mi agitava.

«Alla fine hai capito chi eri e cosa volevi?»

«Non proprio» ha detto sorridendo. «Ma ci sto lavorando.»

Mi ha versato di nuovo il caffè mentre gli facevo mille domande. Lasciare il lavoro si era rivelata una grande idea, lo aveva aiutato tanto a ritrovare delle cose che aveva perso.

«In quel periodo ho provato il più grande dolore della mia vita. Non pensavo nemmeno di essere in grado di superarlo. Appena sono stato un po' meglio ho iniziato a rimettermi in piedi e a piccoli passi ne sono uscito.»

Non ho avuto il coraggio di chiedere che cosa gli fosse successo, però ho pensato che, se lui era riuscito a superare un grande dolore, forse avrei potuto farlo anch'io nel caso in cui mi fossi lasciato con Anna.

Quando era bambino, ha proseguito a raccontare Elias, sua madre gli aveva lasciato degli insegnamenti preziosi.

«Ho sempre desiderato fare tante cose diverse e non sceglierne una sola, così come aveva fatto mia madre. Mi sarebbe piaciuto cambiare continuamente, un giorno suonare il pianoforte, un giorno imparare a fare il pane, un giorno viaggiare. E questo è quello che faccio adesso. Cambio e non sono bravo in nulla.» Si è messo a ridere. «O magari è proprio il contrario, faccio mille cose perché ho capito che non sono bravo in nulla.»

Era autoironico, divertente, mi piaceva ascoltarlo.

«Quindi tu sei questo?» gli ho chiesto. «Sei tante cose?»

«Diciamo che non voglio esserne una sola.»

Come ero io, ho pensato. Io ero quello dello studio, ero l'architetto. Capivo le sue parole ma sapevo anche che non era facile vivere come lui. «Il fatto è che la società fatica ad accettare un atteggiamento del genere.»

«Certo, perché per conoscersi ci vuole tempo, perché una persona è molto di più che il suo ruolo, e quando lo capisci diventi pericoloso.»

Ho notato che sull'anulare della mano sinistra portava due fedi.

«Ci sono ancora molte zone d'ombra nella mia vita» mi ha detto con un sorriso.

Gli ho chiesto se preferisse i sei mesi in Norvegia o i sei mesi in viaggio.

«Quando viaggio mi piace vedere posti nuovi, non avere una routine, vivere il presente. Non devo arrivare da nessuna parte, non sono distratto dalla meta. Quando torno in Norvegia mi piace l'idea che farò un lavoro nuovo e conoscerò persone nuove. Come dice Don Juan, le strade sono tutte uguali: non portano da nessuna parte. L'unica domanda da farsi è se quella che stiamo percorrendo ha un cuore. E queste due per me ce l'hanno.»

Anna e Matteo sono tornati, lei è venuta a presentarsi, poi ho salutato Elias e sono andato ad aiutare Anna a sistemare la spesa in camper.

Mentre riponevo il cibo negli armadietti e nel frigorifero mi sono chiesto se Elias fosse così profondo e intelligente perché passava molto tempo da solo o se, viceversa, passava molto tempo da solo perché era troppo profondo e intelligente per stare in mezzo alla gente.

La sera l'ho incrociato alle docce del campeggio, aveva appena finito e si stava asciugando, in bocca aveva lo spazzolino.

Quando si è girato per salutarmi ho notato una lunga cicatrice che gli segnava il torace, dalla gola alla pancia. Ho distolto lo sguardo e sono andato a lavarmi.

Quando sono uscito dalla doccia lui non c'era più.

Arrivato al camper ho visto che si era già chiuso nella tenda, la luce della lampada si muoveva all'interno.

Volevo chiedergli cosa gli fosse successo, ma forse non bastava un caffè insieme per confessarsi cose così intime.

La mattina seguente pioveva, ho guardato attraverso il finestrino del camper e la sua tenda non c'era più. Elias aveva già lasciato il campeggio.

Mi è dispiaciuto, avrei voluto parlare ancora con lui.

Uscito dal camper ho trovato un foglio sul tavolo: "È stato bello conoscervi. Quello che avete è prezioso, siete una famiglia".

21

«Ha fatto un incidente in auto, è stato in coma per mesi. Sua moglie purtroppo non ce l'ha fatta.»

Così mi ha detto Anna all'aeroporto di Auckland quando le ho raccontato di aver visto la cicatrice sul torace di Elias.

Stavamo aspettando di salire sul volo che ci avrebbe portato a Queenstown, sull'isola meridionale della Nuova Zelanda.

«Come fai a saperlo?»

«Me lo ha detto lui.»

«Ma quando?»

«Ieri.»

«Ma io dov'ero scusa?»

«Stavi giocando con Matteo sulle altalene.»

In aereo ero sconvolto, per due ragioni: l'idea che Elias avesse dovuto vivere una situazione così drammatica e dolorosa; e poi perché lo aveva detto ad Anna e non a me, con lei aveva parlato molto meno.

È sempre stato così, le persone con lei si aprono in maniera naturale, le confessano cose intime dopo pochi minuti. In questo è straordinaria, mia nonna avrebbe detto che è una donna "amabile".

Anche se è una parola che si usa poco, è quella giusta. Anna la si ama prima ancora di conoscerla. Quando entra in un negozio le regalano sempre qualcosa: dal fruttivendolo riceve una fragola, dal panettiere una pizzetta di sfoglia o un biscotto, dal salumiere un bocconcino di mozzarella. Riceve regali, pensieri e complimenti, come fosse la cosa più naturale del mondo. Anche dalle donne, non solo dagli uomini.

Perché Elias si era sentito di confidarsi con lei e non con me? Forse Anna ha qualcosa che non vedo più o che forse non ho mai visto.

Le persone che ci conoscono quando mi parlano di Anna mi dicono che è una donna speciale, che sono fortunato ad averla incontrata, che se un giorno dovesse mai lasciarmi non troverò più una così e che me la devo tenere stretta. I miei amici per sfottermi le dicono: "Che una donna come te sia finita con uno come lui rimarrà sempre un mistero".

All'inizio ridevo con loro, stavo al gioco, adesso sentirlo dire mi infastidisce. Quando, finite le cene in compagnia, Anna sale in auto con me, la persona che mi siede accanto non è la stessa che scherzava a tavola con tutti. Loro non la vedono da vicino come la vedo io. E da vicino perfino lei ha i suoi colori scuri, le sue insicurezze e i suoi difetti. Anche se li mostra solo a me.

All'aeroporto abbiamo preso un taxi e siamo andati in città, volevamo fermarci per visitare Queenstown. È un posto incantevole, si trova sul lago Wakatipu ed è circondata dalle montagne. Ti domandi subito come sarebbe la tua vita se ci abitassi.

Appena arrivi vedi ovunque offerte per gite in barca, trekking, percorsi con moto d'acqua, bungee jumping, downhill. Se io e Anna fossimo stati lì da soli, avremmo potuto sceglierne una.

«Ci conviene tornare in albergo, così ci riposiamo un po'» ho detto.

Non vedevo l'ora di godere delle comodità di una stanza attrezzata e che un camper non può offrire: più spazio, cuscini comodi, un materasso come si deve.

«Perché invece non proviamo tutti insieme quei go-kart?»

Anna mi ha mostrato una locandina che li promuoveva. Si saliva con una funivia fino in cima alla montagna e lì c'era una pista da cui si scendeva con dei go-kart senza motore.

«Non ti sembra un po' pericoloso per Matteo?»

«C'è scritto che va bene anche per bambini piccoli.»

«E se si fa male?»

Anna si è innervosita: «Ogni volta che ti propongo qualcosa il tuo primo commento è sempre negativo. Ammazzi ogni entusiasmo e rendi tutto pesante».

L'ho guardata, parlava con una grande calma.

«Anche questo viaggio, se fosse stato per te, non l'avremmo mai fatto. Hai passato tutto il tempo a dirmi quanto saremmo stati stanchi per il volo, per il fuso, perché Matteo era troppo piccolo. Non hai detto nemmeno una volta che ti sarebbe piaciuto e non vedevi l'ora di partire. Come al solito, mi hai fatto sentire sola.»

Anche se mi scocciava ammetterlo aveva ragione. Mi sono sentito male per averla fatta stare così.

«Scusami» ho detto senza pensare troppo e l'ho presa per mano.

«Dài, Matteo, andiamo a guidare i go-kart!»

Mi ha guardato: «Cosa sono i go-part?».

Anna ha sorriso, la mia reazione improvvisa aveva sciolto le tensioni più grosse, le macchinine avrebbero fatto il resto.

Abbiamo fatto due discese, una volta Matteo stava con me, una volta con Anna.

Alla fine eravamo tutti e tre di buon umore.

Poi, vicino all'hotel, Matteo ha visto delle giostre ed è schizzato di corsa attraversando la strada. Un'auto arrivava proprio in quel momento.

Ho gridato, ma non mi ha sentito. Mi si è fermato il cuore.

L'auto andava piano ed è riuscita a frenare in tempo. Non scorderò mai il suono delle gomme sull'asfalto.

Io e Anna siamo corsi verso di lui, nessuno si era fatto male, ma il terrore era grande. Matteo è scoppiato a piangere.

Ci siamo scusati con la conducente dell'auto e quando siamo tornati sul marciapiede Anna ha sgridato Matteo, scaricando tutto lo spavento che aveva preso.

Matteo piangeva ancora più forte.

Mentre tornavamo verso l'hotel, lei si è voltata verso di me, aveva la stessa espressione tesa della mattina: «Come sempre non dici niente, tocca a me fare il genitore. Ogni tanto devi alzare la voce con tuo figlio, devi farti sentire».

«Cosa vuoi che gli dica? Stavi già parlando tu, poi ha capito che ha sbagliato, non serviva aggredirlo.»

Anna mi ha guardato con un odio negli occhi che non le avevo mai visto.

«È anche figlio tuo e ho bisogno che te ne occupi, che fai la tua parte. A volte mi sembra di essere sola con due bambini. Quando hai intenzione di iniziare a fare il padre?»

Quella sera non ho più parlato. Siccome lei si sentiva in colpa e non voleva fare il genitore cattivo, ha detto a Matteo che a cena saremmo andati a mangiare la pizza.

Anna è andata in bagno, Matteo guardava la televisione, io ero sdraiato sul letto, in testa mi tornavano le parole di Anna. Spesso si era lamentata del fatto che mi comportassi più come una seconda mamma, e questo la costringeva a essere autoritaria.

Forse avremmo dovuto chiarirci, sederci uno di fronte all'altra e stabilire meglio i confini. Spesso, senza nemmeno dirmelo, si aspettava che facessi delle cose e viceversa.

Forse davvero avevo sbagliato. Quando mio padre mi diceva di smetterla, lo facevo subito. Con Matteo non funziona sempre, a volte mi provoca fino a farmi esplodere, e a quel punto si offende e mi tiene il muso. Con mio padre era il contrario, era lui che non mi parlava più se lo facevo arrabbiare.

A cena avevo solo voglia di mangiare qualcosa di buono e bermi una birra ghiacciata. Quando mi è stato servito il piatto di costolette di agnello con patate al forno mi è venuta l'acquolina.

«Papà, devo fare la cacca.»

Non ho mai capito come sia possibile che lui debba andare in bagno sempre nei momenti o nei posti sbagliati. La cosa mi ha fatto sorridere. Non ho nemmeno guardato Anna, sapevo che toccava a me.

Mentre il mio agnello con le patate diventava freddo, io ero in bagno ad aspettare che Matteo la facesse tutta. Mi sono guardato allo specchio, avevo un pezzo di carta igienica in mano e un'espressione arresa.

Questo è l'ultimo viaggio che facciamo tutti insieme, mi sono detto. "Mi spiace per te, ma avere un genitore separato e felice è sempre meglio che averli tutti e due infelici sotto lo stesso tetto." Era la prima volta che lo ammettevo con me stesso. Fino ad allora, ogni volta che avevo pensato di andarmene, mi era bastato vedere un giocattolo per terra, un suo maglioncino, un paio di calzini con gli animaletti disegnati per non avere più la forza nemmeno di pensarlo.

La sera non avevo voglia di andare a dormire, così davanti all'albergo ho detto ad Anna che sarei andato a bermi una birra. Mi ha guardato con un'espressione sorpresa, non se l'aspettava.

Mi sono fatto una passeggiata e sono entrato in un pub. Ho pensato ad Amsterdam, mi immaginavo la mia vita in mezzo ai canali, sono andato su un sito di annunci immobiliari e, mentre bevevo la birra, mi sono fatto un giro virtuale nelle case in cui avrei potuto abitare.

Poi non ho resistito alla tentazione di rileggere i messaggi di Loredana. Avrei voluto essere con lei in un letto a scopare tutta la notte, a ridere, bere, godere.

Sono andato sul suo profilo Instagram, le sue foto mi ricordavano gli anni in cui l'avevo desiderata. Come accade sempre, sono stato risucchiato, e in un attimo sono finito a scorrere centinaia di foto di amici, conoscenti e sconosciuti. Stavo facendo il viaggio che chiunque mi avrebbe invidiato, eppure le loro vite continuavano a sembrare meglio della mia. È incredibile come su Instagram siamo tutti felici. Ho pensato alle ore che avevo passato sul divano di casa con il telefono in mano a sbirciare le vite degli altri, mentre Matteo giocava da solo sul tappeto.

Ho finito la seconda birra e ho scritto a Loredana: "*Le età di Lulù*, Almudena Grandes".

22

"Ci stiamo veramente lasciando?" è stata la domanda che mi sono fatto prima ancora di uscire dal letto.

Con lei non ero felice e, se pensavo di lasciarla, lo scenario non migliorava, anzi forse era anche più doloroso. Uno dei motivi per i quali ero confuso è che non era facile lasciar andare tutto quello che avevamo sempre desiderato, quello che avevamo creduto potesse renderci felici. Era difficile ammettere di avere sbagliato, difficile accettare anche il fatto di buttare via tutto.

Mi ero appena svegliato e mi stavo già tormentando, sinceramente cominciavo a essere stanco di me stesso. Dovevo imparare a lasciarmi stare.

Nella stanza regnava una calma che rendeva tutto delicato, ma io dentro alle coperte ero già sotto assedio.

Quando anche Anna e Matteo si sono svegliati, sono stato contento di fare colazione e partire, avevo voglia di muovermi. Guidare, stare in giro rendeva tutto meno cupo, di giorno gestivo la situazione più facilmente.

Prima di pranzo siamo saliti su un traghetto per

andare a visitare le grotte di Te Anau, dove si trovano delle larve bioluminescenti che hanno la capacità di trasformare l'energia del proprio corpo in luce. La luce serve ad attirare altri insetti per poi mangiarli. Quando la larva diventa pupa, cioè adulta, solo le femmine rimangono bioluminescenti, per richiamare i maschi.

È stato incredibile, nel buio della grotta, assistere allo spettacolo di un cielo stellato. Matteo era incantato, e anche io e Anna siamo rimasti a bocca aperta. Avrei voluto allungare un braccio e stringerla a me.

Era un peccato viaggiare in queste condizioni, ci saremmo goduti tutto molto di più.

Nel pomeriggio, al campeggio, i nostri vicini erano una coppia di olandesi poco più giovani di noi e avevano due figli. Quando si incontrano famiglie con figli più o meno della stessa età dei propri è molto facile stringere amicizia. Tutti sperano che i bambini possano giocare insieme e gli adulti rilassarsi un po'. Così è stato con Paul e Jane e i loro bambini, Nana e Theodor.

Matteo andava così tanto d'accordo con loro che abbiamo deciso di fare qualche tappa del viaggio insieme.

Siamo stati insieme a Castle Hill, una collina in cui enormi massi sembrano formare le rovine di un castello. C'era un'energia potente, e non è un caso che il Dalai Lama lo abbia definito il centro spirituale dell'universo.

Lassù abbiamo pranzato in una calma e una tranquillità mai sentite prima.

Alcune persone meditavano, altre pregavano, altre leggevano e una ragazza suonava l'arpa. Tutto era delicato, silenzioso, rilassante.

«Sarà difficile tornare ad Amsterdam» ha detto Jane.

«Amsterdam è molto bella» ho sentito la necessità di ribadire, visto che, se mi avessero scelto, avrei dovuto convincere Anna, sempre che fossimo rimasti insieme.

«Abbiamo rischiato di venirci a vivere, Marco ha avuto un'offerta di lavoro ma alla fine abbiamo rinunciato» ha aggiunto Anna.

"Veramente la possibilità è ancora aperta, non te l'ho detto ma ho dato la mia disponibilità" avrei voluto dire, ma sono rimasto in silenzio. Ero a disagio.

«Che peccato. Sarebbe bello avervi come vicini» ha detto Jane.

«Magari, tra qualche anno» ho risposto e ho guardato Anna, che stranamente mi ha sorriso.

Forse questo incontro casuale mi avrebbe aiutato. Anna si trovava molto bene con Jane, avrebbe potuto essere un sostegno.

Sulla strada del ritorno ci siamo fermati, come spesso avevamo già fatto, a comprare dei prodotti tipici. In ogni paesino avevamo sempre trovato persone gentili con noi in modo genuino, non perché eravamo potenziali clienti. Forse era perché i ritmi più tranquilli della campagna lasciano spazio alla gentilezza e alle attenzioni, mentre in città la frenesia si mangia tutto.

Dopo aver messo a letto i bambini, siamo rimasti svegli a chiacchierare fino alle due.

Paul e Jane avevano la capacità di parlare con leggerezza delle loro difficoltà di coppia. Jane ha confessato che quando aveva scoperto di essere incinta del secondo figlio non era per nulla felice, anzi era triste e sconvolta. Non lo avevano cercato e lei l'aveva presa male.

«Ho anche pensato di non tenerlo, poi invece lentamente mi ci sono abituata, e alla fine tutto si è sistemato. Ma all'inizio è stato uno choc.»

«Credo che avrei avuto la stessa reazione» ha risposto Anna.

Mi ha sorpreso.

«Davvero?» ho chiesto d'impulso.

«Già con Matteo è stata dura, non so se avrei avuto le forze per un altro bambino.»

Non capivo se stava dicendo quelle cose per solidarietà con Jane o se le pensasse veramente.

«Credevo ti piacesse essere madre» ho detto.

«Certo che mi piace, ma il primo periodo con Matteo non mi sentivo bene.»

«In che senso?» ha chiesto Paul.

«Non mi sono mai sentita così sola e triste come in quei mesi.»

Ho guardato Anna, di nuovo sorpreso.

«Come sola? E io?»

«Tu c'eri e non c'eri. Eri molto preso dalle tue cose.»

Non avevo mai nemmeno sospettato che Anna la pensasse così e mi sembrava assurdo che una donna appena diventata madre si potesse sentire sola con suo figlio in braccio.

«Doveva essere il momento più bello della mia vita» ha continuato. «Finalmente avevo un figlio, una delle cose che ho sempre desiderato, e invece mi sono ritrovata a essere infelice. Quando io e Marco ci siamo conosciuti facevamo lo stesso lavoro, avevamo la stessa posizione. Poi sono rimasta incinta e in un secondo mi sono ritrovata fuori dai giochi. Pensavo che fare la mamma mi sarebbe bastato, che stare a casa con mio figlio fosse un lusso, ma non è stato così. Sono contenta e grata del tempo che ho passato con lui, però alla fine stavo impazzendo. In quel periodo era come se non esistessi più, e la mia infelicità mi faceva sentire in colpa. Non capivo cosa ci fosse di sbagliato nella mia testa. Pensavo di essere una pessima madre, non mi sentivo all'altezza, e questo mi rendeva ancora più infelice. Ero piena di sensi di colpa e di insicurezze.»

Siamo rimasti tutti in silenzio. Anna aveva parlato con un'onestà disarmante. Scoprire in quel momento la sua infelicità mi ha ferito.

«La stessa cosa è successa a me» ha detto Jane. «Non si può essere una brava madre se prima non si è una donna felice.»

«È vero» ha aggiunto Anna.

Quella sera parlava liberamente, e più parlava, più capivo di non essermi reso conto di nulla; mi sono chiesto come sia possibile dormire tutte le notti accanto a una persona e non sapere cosa prova nel profondo.

Anna era un fiume in piena: «I primi mesi è stato come essere presa in ostaggio, non avevo più il tempo né la forza di fare altro se non prendermi cura di lui. Mi sentivo svuotata, sfinita. Mi sembrava di dare tutto e di non ricevere nulla in cambio. E poi anche il corpo, non lo riconoscevo più».

«Sembrano le parole di mia moglie» ha commentato Paul.

Anna ha proseguito: «Corri tutto il giorno e quando arriva la sera hai la sensazione di non aver fatto niente. Quando poi lui dorme, sai che dovresti dormire anche tu, ma vuoi fare qualcosa per te, per rompere la routine dei giorni tutti uguali. E alla fine hai sempre la sensazione di aver preso la decisione sbagliata».

«Ti prendi cura totalmente di tuo figlio, ma nessuno si prende cura di te. Ti senti invisibile» ha detto Jane prima di dare un sorso al suo vino, poi ha aggiunto: «Quando abbiamo preso in casa una ragazza per aiutarmi, passavo tutto il tempo a guardarla. Aveva ventidue anni, un fisico perfetto. Io mi guardavo allo specchio e vedevo la maglietta sporca, i capelli in disordine, la pancia molle, le borse sotto gli occhi. Un giorno, in lacrime, ho detto a Paul che sarebbe finito a tradirmi con lei di sicuro».

Siamo scoppiati a ridere tutti e quattro. Anna ha detto che, nei mesi successivi al parto, le è cresciuto di una misura un piede.

Non sapevo neppure quello, ero sempre più sconvolto.

«Solo uno?» ha chiesto Paul e siamo scoppiati a ridere di nuovo.

Una volta in camper, Anna si è addormentata subito. Io sono rimasto sveglio a riflettere. Mi ero perso un pezzo della sua vita, spettava a me prendermi cura di lei, e avevo mancato.

Passavamo ore in silenzio, invece avremmo avuto un mucchio di cose da dirci. Stavamo insieme da anni, avremmo dovuto essere complici, ma col tempo avevamo accumulato segreti. Non parlavo di tradimenti, ma di desideri, sogni, cose che avremmo voluto fare e cose che non avremmo voluto fare più.

Quando tornavo a casa la sera, invece di elencarle quello che mi era successo, avrei potuto raccontarle come stavo, cosa provavo. E anche lei avrebbe potuto fare lo stesso con me.

Eravamo sincronizzati sulle faccende di casa, ma non sui reciproci sentimenti.

23

Il mattino seguente mi sono svegliato prima di tutti, e mentre tagliavo una mela pensavo che dentro una relazione si impara più a mentire che a condividere davvero quello che si prova.

«Cosa stai facendo?» mi ha chiesto Matteo, dopo essere uscito dal letto.

«Sto tagliando una mela, la vuoi?»

«No.»

E si è ributtato sotto le coperte.

Quando Anna si è svegliata, era già tutto pronto in tavola. Mi sono sentito in imbarazzo, forse era evidente il mio tentativo di recuperare dopo quello che avevo scoperto la sera prima. Lei invece ne è stata contenta. Quando Matteo si è alzato per andare a giocare, ho fatto un respiro profondo.

«Non mi sono mai accorto di quanto sia stato difficile per te. Volevo solo dirti che mi dispiace veramente.»

Non se lo aspettava, mi ha sorriso in modo dolce.

«Perché non me lo hai detto prima?»

«Credo di avertelo detto.»

«E cosa ti ho risposto?»
«Mi dicevi che anche tu eri a pezzi, che avevi dei problemi col tuo capo. Ti odiavo e ti invidiavo.»
«Invidiarmi?»
«Quando ti vedevo uscire per andare al lavoro, avrei voluto andarci io in ufficio. Passare la mia giornata con degli adulti, essere coinvolta in un progetto. Mi sarebbero andate bene anche tutte le seccature col capo. Non ce la facevo più a stare a casa, ma mi vergognavo a dirlo.»
Questa volta ero io a guardare lei in silenzio, non sapevo cosa dire. Credo però di averla capita.
Ha continuato: «Quando stavi via qualche giorno per lavoro, avrei voluto sentire com'era stata la cena, com'era la camera d'albergo, com'era dormire una notte di fila. Invece mi dicevi che eri a pezzi e che avevi bisogno di riposare. Volevi solo andare a letto a dormire».
Più la ascoltavo, più stavo male. Il colpo di grazia è stato quando mi ha detto che le sarebbe bastato anche solo un lungo abbraccio.
L'ho guardata negli occhi, ero davvero a terra. Poi le ho chiesto scusa. L'ho presa per mano e l'ho attirata a me.
«Anche se è tardi lasciati abbracciare.»
Era un secolo che non la sentivo così vicina.

La giornata era cominciata diversamente da tutte le altre. Avevamo superato alcune barriere che avevamo costruito negli ultimi anni.
Nel pomeriggio Anna e Jane sono andate a fare una corsa, io e Paul siamo rimasti al campeggio con i bambini.

A un certo punto Matteo è scoppiato a piangere. Theodor, correndo, lo aveva fatto cadere. Sono andato da lui, l'ho consolato e dopo poco è tornato a giocare.

Paul ha chiamato Theodor: «Devi chiedere scusa a Matteo».

«Non serve» ho detto io, ma Paul ha insistito. Era un padre affettuoso, abbracciava e baciava i suoi figli, ci giocava spesso, però riusciva anche a essere autorevole. Quando ci parlava, lo ascoltavano e facevano quello che diceva.

«Non l'ho fatto apposta» ha detto Theodor.

«Non importa, gli dici: "Scusami, non l'ho fatto apposta. Va tutto bene?".»

Theodor è andato da Matteo e si è scusato. Ho preso da parte Paul: «Ti danno proprio retta i tuoi figli! Come fai?».

Mi ha detto: «Faccio quello che devo fare. Prima sono il padre, e poi, se c'è spazio, un amico».

Se pensavo a me e Matteo era l'esatto contrario.

La sera a cena ogni tanto prendevo la mano di Anna o giocavo con i suoi capelli. Di fronte a lei, ho voluto di nuovo affrontare il discorso sui figli.

«Ammiro il fatto che i vostri bambini siano così ubbidienti» ho detto a Jane e Paul.

«Non è così da sempre, Paul lo ha imparato da qualche anno, all'inizio faceva fatica.»

«Marco deve ancora impararlo» ha detto Anna con un tono gentile, tanto che per la prima volta non mi ha infastidito.

Paul ha aggiunto: «Mi sono reso conto che, quando sono accondiscendente e gli do quello che vogliono, non gli sto facendo un favore. Se invece gli metto un confine, loro si sentono al sicuro e sono meno fuori controllo».

Paul aveva ragione, quando mi rifiutavo di dire no a Matteo non lo facevo pensando al suo bene, lo facevo per conquistarmi il suo affetto con una scorciatoia.

Ho voltato gli occhi verso Anna, mi stava osservando. Mi ha sorriso, come se avesse potuto leggere i miei pensieri.

24

Salutare le persone che incontravamo era sempre difficile, soprattutto per Matteo. Per tutto il giorno ha continuato a chiederci quando avrebbe rivisto Theodor e Nana.

Davanti a noi avevamo ancora parecchi chilometri per tornare verso Queenstown. Guidare cominciava a piacermi, col camper avevo preso confidenza e riuscivo a godermi la meraviglia di quella natura, le strade che si perdevano all'orizzonte. Era completamente diverso dal guidare in città, mi metteva di buon umore. Forse anche perché con Anna andava meglio, alcune tensioni si stavano sciogliendo.

Prima del tramonto, subito dopo una curva si è aperto ai nostri occhi un paesaggio così perfetto da sembrare un dipinto: sulla sinistra un lago blu intenso, sulla destra una montagna che passava dal verde chiaro al marrone scuro. Il cielo era attraversato da nuvole bianche e gialle. Siamo rimasti a bocca aperta, senza parole.

La strada costeggiava il lago e ci dava l'occasione

di entrare nel vivo di quel paesaggio, a ogni curva la meraviglia cresceva.

Abbiamo fatto tappa nell'unico negozio della zona, dove si fermano tutti quelli che passano da Pukaki Lake. Vendevano solamente salmone, ne abbiamo prese due vaschette.

Siamo ripartiti, per poi fermarci in un largo spiazzo sulla sponda del lago.

Matteo ha iniziato a correre dietro alle anatre. Lo abbiamo sentito ridere forte. Le anatre si immergevano per mangiare lasciando fuori solo la coda, il lago era punteggiato dalle piume che, come antenne, spuntavano dall'acqua. Abbiamo riso anche noi.

Non avevo mai visto un'acqua così blu, sembrava che qualcuno avesse rovesciato della tempera. Ho avuto la tentazione di scattare una foto con l'idea di postarla, come avrei fatto normalmente. Per qualche strana ragione, però, non ho avuto più voglia di vedere il mondo dentro lo schermo di un telefono. Volevo godermi tutto, vivermi ogni momento dentro la realtà.

«Potremmo restare qui per la notte» ho proposto. «C'è qualcosa di magico. I colori sono veramente incredibili.»

«Stavo per chiedertelo io.»

Anna sembrava felice della mia proposta. Non avevamo mai passato la notte fuori da un campeggio, era ancora più avventuroso.

Ho parcheggiato il camper in modo che dalla finestra grande, dove c'era il divano letto, si vedesse tutto il lago.

Ho messo un po' di musica, mi sono aperto una

birra e ho ripreso un libro che avevo cominciato qualche giorno prima.

Anna e Matteo raccoglievano dei fiori, li osservavo.

Quando è rientrato, Matteo me li ha portati sorridente.

La luce calava, Anna ha iniziato a preparare la cena.

Nel camper tutto era raccolto. Intorno ogni cosa era incantevole, sospesa. Mi sentivo toccato da quella bellezza, per la prima volta da quando eravamo partiti ne ero davvero cosciente.

Il lago diventava sempre più scuro, gli alberi erano ormai silhouette nere contro il cielo, Anna cucinava delle verdure, e la luce della cappa le illuminava le guance, Matteo al tavolo disegnava. Anche la musica era perfetta, Ray LaMontagne con *Such a Simple Thing*.

Ho ricordato quando Anna mi aveva detto che era frustrante sapere di avere tutto per essere felici e non riuscire a esserlo. Forse non c'era una risposta, forse si tratta di alchimie invisibili, fuori dal nostro potere.

Magari, dopo aver toccato il fondo saremmo risaliti e avremmo imparato a essere finalmente felici insieme.

Anna si è accorta che la stavo guardando: «Che c'è?».

«Niente, sto bene.»

Ha sorriso.

Dopo cena ha preparato Matteo per andare a letto, io ho lavato i piatti. La giornata mi aveva toccato il cuore, mi aveva ammorbidito.

Quella sera siamo rimasti seduti dentro il camper, ognuno leggeva il proprio libro, sorseggiando un bicchiere di vino.

Ha iniziato a piovere, e la pioggia ha reso ogni cosa ancora più intima.

Quando siamo andati a letto, Anna stava salendo da Matteo.

«Stasera stai con me.»

Le ho preso una mano e ci siamo sdraiati insieme, l'ho abbracciata senza cercare di fare l'amore. La pioggia picchiettava sul tetto del camper, un suono meraviglioso, quasi ipnotico. Avrei voluto dirle che la amavo, ma sono rimasto in silenzio ad annusare il suo profumo.

25

Petricore è un termine coniato da due ricercatori australiani e indica il profumo della pioggia sulla terra quando ha appena smesso di cadere.

Mi sono svegliato e sono uscito subito dal camper, fare la pipì all'aperto è una delle cose che più regalano un grande senso di libertà. Passeggiavo vicino al lago, tutto era tranquillo e silenzioso, sentivo il sole tiepido sul viso, sulle braccia, l'aria tersa, vivificante.

Le ombre degli alberi erano ancora lunghe, il suono del vento, i versi delle anatre, degli uccellini. In lontananza abbaiava un cane. Quei minuti si sono impressi a fuoco nella mia memoria, non li scorderò mai.

Abbiamo fatto colazione e siamo ripartiti, dovevamo consegnare il camper a Queenstown e poi volare nuovamente a Auckland, per andare il giorno dopo in Australia.

Eravamo in anticipo, ci siamo fermati in un piccolo villaggio per vedere dei negozi. Ce n'era uno che vendeva oggetti in cuoio fatti a mano. Li lavorava un uomo sulla sessantina, sono rimasto a osservarlo, da sempre mani capaci mi affascinano, qualsiasi sia il lavoro che stanno facendo.

Nel cortile di una casetta poco distante erano esposti delle sedie e dei tavoli in legno, non capivamo se fosse uno spazio privato.

«Se volete potete entrare» ha detto un uomo che stava sotto il portico, non l'avevamo visto.

«Non possiamo comprare niente di così grande, siamo in viaggio.»

«Non serve che compriate.»

Siamo entrati a curiosare. Subito Matteo ha detto che doveva fare la cacca. Ero in imbarazzo, ma ho chiesto all'uomo se potevamo usare il bagno.

«Certo» ha risposto con un sorriso.

Anna ha accompagnato Matteo e io sono rimasto con lui, si chiamava Alfred. Mi sentivo in obbligo di far conversazione, per corrispondere alla sua gentilezza. Mi ha raccontato che aveva lasciato la sua occupazione a Londra e si era trasferito da un paio d'anni.

«Il mio lavoro era fatto soprattutto di numeri, movimenti di capitali, cose invisibili. Qualcosa dentro di me si è consumato e non mi andava più di fare quella vita.»

Ho pensato che a me non sarebbe mai potuto accadere, amavo il mio lavoro, e non solo perché mi permetteva di guadagnare e di impegnare il tempo. Mi dava un piacere vero. Anche durante il viaggio non avevo mai pensato neanche per un secondo di poterlo mollare per qualcos'altro.

Alfred diceva cose interessanti ma aveva un atteggiamento da guru che lo faceva sembrare costruito, quasi stesse recitando. Io lo ascoltavo, parlava quasi sempre lui.

«Quando sono venuto qui, non sapevo cosa fare. Avevo abbastanza soldi per stare tranquillo, ma non potevo passare le giornate a non fare niente. Stavo nella mia vita come fossi sul tapis roulant di un aeroporto. Andavo avanti senza chiedermi molto. Quando sono arrivato qui pensavo che sarei stato meglio, invece stavo ancora peggio. Ero solo e non conoscevo nessuno.»

«Sarà stato un periodo duro» ho detto trattenendo un sorriso.

«Molto, ma la vita ti insegna sempre qualcosa nei momenti duri.»

Stavo al suo gioco.

«Non hai mai pensato di tornare indietro, alla tua vita di prima?»

«Più volte, ma non volevo mollare qualcosa di profondo che mi teneva qui.»

Anna e Matteo sono tornati, Matteo è andato a prendere un pallone in un angolo.

«Mi stava raccontando che viveva a Londra e che ha lasciato tutto per venire qui» ho detto ad Anna, per coinvolgerla, volevo che sentisse come parlava e cosa diceva.

«Mi ero perso, ma mi sono trovato. Ho ritrovato il vero Alfred. Piano piano, un passo alla volta. Adesso ho imparato semplicemente a stare, non a scappare sempre come prima.»

Ho pensato che fosse facile fare l'hippie quando si hanno molti soldi. Per me una scelta come la sua sarebbe stata difficile da portare avanti.

«La prima cosa che ho imparato è stato concedermi una semplice passeggiata, non per andare da qualche parte, ma per il piacere di farlo.»

Anna mi ha guardato, non mi ha detto nulla, ma ho capito che si stava sforzando di non ridere.

«Poi ho iniziato facendo piccole cose, cose apparentemente stupide.»

«Di che tipo?» ho chiesto.

«Una sedia.»

Io e Anna non potevamo guardarci, ero sicuro che saremmo scoppiati.

«Le sedie che vedi qui le ho fatte tutte io. Quando mi sono seduto sulla prima, ho provato una gioia incredibile. Coi soldi ne avrei potute comprare quante ne volevo. Adesso le potevo creare. E credimi, la differenza è enorme.»

Non diceva cose insensate, era il modo in cui lo faceva a rendere tutto ridicolo.

«Dobbiamo andare, abbiamo un volo da prendere.»

Ho chiamato Matteo, che all'inizio non voleva venire perché aveva trovato una lucertola.

Appena fuori, io e Anna siamo finalmente esplosi, non era bello ridere di lui, ma non riuscivamo a trattenerci, avevamo le lacrime agli occhi.

«Perché ridete?» ha chiesto Matteo.

È stato impossibile spiegarglielo.

A Auckland la nostra stanza non era ancora pronta nonostante fossero le sei del pomeriggio, perciò siamo andati a fare un giro in città e poi al ristorante.

Era strano ritrovarsi in una città grande dopo giorni in cui eravamo stati immersi nella natura. In questo viaggio mi era capitato di pensare che un contatto più stretto con la natura fosse quello di cui avevo bisogno, avevo cercato di immaginarmi in una delle fattorie in cui eravamo passati, mi ero visto lavorare il legno, vivere con il camino acceso in casa, sedermi fuori su una sedia a leggere o bere un caffè, in compagnia del mio cane. Una versione meno finta di Alfred.

Eppure anche la città mi piaceva, il viavai frenetico delle persone, i ristoranti, le donne con i tacchi, i bar pieni di gente che beve cocktail. Avevo cominciato a godere della tranquillità della campagna, ma il battito della città non smetteva di piacermi.

Ridere di Alfred aveva regalato a me e Anna una complicità divertita, che ci ha accompagnato per tutta la cena.

In hotel abbiamo scoperto che il ritardo nella preparazione della nostra stanza era dovuto a un problema con la prenotazione, motivo per cui ci hanno dato una suite, con la differenza a carico della direzione. Io e Anna ci siamo guardati, era proprio la nostra giornata. La suite aveva due camere da letto grandi, una cucina e un salotto con vista sulla città. Sul tavolo, una bottiglia di champagne e un biglietto col nostro nome.

«Ti manca il camper, di' la verità» ho detto, e Anna è scoppiata a ridere.

Non vedevo l'ora che Matteo andasse a dormire, volevo stare solo con lei, bere quella bottiglia insieme, baciarla. Anche in quel viaggio, come a casa, non avevamo mai un tempo solo per noi, avremmo dovuto imparare a ritagliarcelo senza sentirci in colpa verso nostro figlio.

Forse anche lei sentiva il desiderio di stare con me da sola, perché ha subito portato Matteo a lavarsi i denti e lo ha messo a letto.

La baciavo e avevo una voglia pazzesca di fare

l'amore, ma avevo anche paura che se ne uscisse di nuovo con la storia che ero gentile solo quando volevo scopare.

È stata lei a entrare in camera da letto, si è girata e con lo sguardo mi ha invitato a seguirla. Ci siamo amati in un modo intimo e intenso. Ho sentito di avere tra le braccia la Anna morbida e sensuale dei primi anni. Ero così preso che per un attimo ho pensato di avere un altro figlio con lei, poi quel pensiero si è dissolto con la stessa velocità con cui era arrivato. Ci siamo addormentati abbracciati, proprio come la notte in cui avevamo avuto paura di perderci. Adesso ci eravamo ritrovati.

Quando mi sono svegliato Anna non c'era, la sentivo chiacchierare con Matteo. Ho avuto la solita paura che la magia fosse svanita.

Sono andato in bagno, lei si stava lavando i denti. Il suo sorriso mi diceva che invece la magia era ancora presente, forse questa volta più profonda.

Prima di uscire dal bagno l'ho abbracciata da dietro e le ho baciato il collo, la testa. Ero felice, come non mai.

26

Ho poche certezze nella vita, una di queste è che il buffet tira fuori il peggio delle persone.

Un tavolo pieno di cibo a prezzo fisso fa scattare un meccanismo nel cervello.

Ma quella mattina in albergo abbiamo assistito a qualcosa di mai visto, di un livello superiore. Mentre eravamo seduti a far colazione Anna ha notato una signora dietro di me. Andava avanti e indietro dal buffet, riempiva il piatto e poi, cercando di non farsi vedere, lo svuotava dentro contenitori in plastica per alimenti che teneva in un grande borsone. Era un continuo andare e venire: uova sode, prosciutto, frutta, yogurt, perfino semi di girasole e noci. Si faceva preparare l'omelette al momento e ogni volta ne riempiva una vaschetta. Gliene ho viste mettere via quattro.

Anna non riusciva a credere ai suoi occhi. Le ho chiesto di potermi sedere al suo posto per avere una visuale migliore sullo spettacolo.

«È una malattia. Sarà come mia zia Elsa. Quando qualcuno le regala i confetti, lei li succhia fino alla mandorla. Poi, siccome le mandorle non le piacciono, le infila in una ciotolina e le offre agli ospiti» ha detto Anna.

L'ho guardata con gli occhi spalancati.

«Non ci credo, è una leggenda.»

«È così, un giorno da piccola stavo per mangiarne una e mia madre mi ha fermato. Quando siamo uscite, mi ha spiegato il perché.»

Siamo scoppiati a ridere e abbiamo continuato a farlo per tutto il giorno, pensando alla signora che riempiva le vaschette.

Quando eravamo di quell'umore, non pensavo più di lasciare Anna, era leggera, divertente, soprattutto era felice. Sapevo che non avevamo risolto i nostri problemi, però prendersi una tregua era bello.

La nostra prima meta, dopo essere atterrati a Sydney, era Byron Bay, il sogno di Anna. Avevamo due settimane ancora e le avremmo spese tutte lì, in un residence.

Abbiamo però fatto tappa a Port Macquarie, per visitare l'ospedale dei koala. Appena arrivati una ragazza ci ha portato a vedere le gabbie in cui stavano mentre venivano curati. Quasi tutti erano seduti o aggrappati a una pianta e dormivano. Matteo era eccitatissimo.

La guida ci ha detto che i koala dormono mediamente dalle diciotto alle ventidue ore al giorno, per il resto del tempo mangiano. Erano bellissimi, abbiamo fatto qualche foto e qualche video.

«Viene voglia di abbracciarli e coccolarli» ha detto Anna.

La guida ha risposto: «In realtà non amano il contatto fisico, essere toccati».

Quando ci siamo rimessi in viaggio, Anna ha detto: «Ti assomigliano molto i koala, amano dormire e non vogliono essere coccolati».

Ho riso.

È stato un giorno speciale per Matteo, finalmente era riuscito a vedere un koala dal vivo, ne parlava da mesi, e di lì a poco avrebbe visto anche i canguri.

Abbiamo parcheggiato vicino a Serenity Bay, la seconda tappa, e abbiamo fatto una passeggiata in spiaggia. Era piena di conchiglie, sassi e pezzi di legno bellissimi, levigati dal mare e dal vento. Era difficile non raccogliere quei piccoli tesori naturali, ma abbiamo resistito.

Poi ci siamo incamminati verso una collina che finiva a strapiombo sull'oceano. Ed è stato lì, nel tragitto, che abbiamo visto i canguri. Siamo rimasti immobili, perché Anna aveva paura che ci attaccassero, aveva visto su YouTube un video in cui un canguro prendeva a cazzotti un turista perché gli si era avvicinato troppo.

Matteo era fuori di sé dalla felicità. Tornati in auto continuava a parlare di quello che aveva visto, il momento che aveva preferito era stato quando un cucciolo di canguro era saltato fuori all'improvviso dal marsupio della madre.

Io non vedevo l'ora di raggiungere Byron Bay, lì saremmo rimasti fissi in un residence: basta strada, basta spazi piccoli, basta campeggi.

Quando siamo arrivati, anche se era tardi, non ho resistito e ho cucinato un piatto di pasta col pomodoro, la desideravo da settimane.

Mentre ero ai fornelli, Anna ha sistemato le nostre cose negli armadi. Non svuoto mai la valigia negli hotel, il suo gesto mi ha fatto sentire a casa.

L'appartamento aveva un piccolo giardino con tavolino e sedie, potevamo ancora mangiare all'aperto, come quando stavamo in camper.

Anche quella sera abbiamo dormito insieme e abbiamo fatto l'amore. La cosa sembrava durare.

27

I primi dieci giorni a Byron Bay sono stati tranquilli, ci sentivamo veramente in vacanza.

Anna al mattino si svegliava presto e andava a correre sul lungomare, poi tornava a casa e tutti insieme facevamo colazione. A metà mattina mi piaceva bere un caffè all'aperto, nel nostro piccolo giardino.

I nostri vicini erano una coppia sulla cinquantina, con una donna più anziana, forse la madre di uno dei due.

Ci siamo scambiati un saluto e subito presentati. Lui si chiamava Carl, la moglie Ellen e la donna anziana era Elizabeth, la madre di Ellen. Erano belgi, avrebbero viaggiato per tre mesi. Subito ho pensato che portarsi la suocera in viaggio doveva essere stata una scelta ben ponderata.

All'ora del tramonto Carl è venuto a cercarmi per bere insieme una birra, l'ho raggiunto nel loro giardino. Era un uomo calmo, pacato, che sembrava stare al mondo senza troppi sforzi. Ellen cucinava e la madre era seduta su una poltroncina, stava leggendo un libro.

Mi sono chiesto se Carl l'avesse davvero voluta in questo viaggio o se la moglie lo avesse obbligato. La mia mente contorta ha subito immaginato discussioni domestiche tipo: no, tua madre no, ti prego, tre mesi in giro con tua madre è troppo.

Carl ha visto che stavo osservando sua suocera. «Legge più di un libro a settimana, ha una mente velocissima.»

Ho sorriso: «A volte non vedo l'ora di essere in pensione per leggere tutti i libri che voglio».

Carl mi ha passato la birra, mi ha raccontato dei posti che avevano visto e di dove erano diretti. Anche loro, come noi, stavano visitando Australia e Nuova Zelanda.

Siamo rimasti seduti circa mezz'ora, è stato molto rilassante. Sua moglie ci ha portato dei salatini, delle olive e delle patatine. Anche Ellen era pacata e gentile, aveva un sorriso affettuoso.

Per cena, ognuno è tornato a casa propria.

Qualche giorno dopo Carl mi ha invitato di nuovo per una birra, questa volta nel pub all'angolo. Ho accettato, non c'è niente di più bello che bere delle birre ghiacciate e parlare di cose stupide, mi sono detto.

Carl mi stava raccontando che per venire in Australia avevano viaggiato in economy nella seconda fila dietro la business class.

«Quando l'aereo prende quota, la hostess si alza e tira una tendina» ha detto.

«Lo fanno sempre.»

«Sì, ma a che serve?»

«A separare le due classi, come fosse una porta o la corda di un privé.»

«Sì, ma perché?»

Ci ho pensato, non avevo una risposta, lui ha continuato: «Le persone sedute in business guardano avanti e a noi in economy neanche ci vedono, e noi mica passiamo il tempo del volo a chiederci cosa ci sia lì dietro quella tenda, gnomi, giraffe, unicorni. Sembra più un capriccio».

«Forse perché non vogliono che quelli dell'economy usino il bagno della business.»

«Come se in business cagassero confetti rosa.»

Abbiamo riso, poi Carl lentamente si è spento, fino a fissare il muro sopra la mia testa senza dire una parola.

«Tutto bene?» gli ho chiesto.

«Sì, ero distratto.»

Continuava a essere strano, non sapevo se insistere ancora o far finta di nulla.

«Sei sicuro che vada tutto bene?»

«Non va bene, ma non mi va di parlarne.»

Forse anche Carl era in crisi con Ellen. Mi sono alzato e sono andato in bagno. Quando sono tornato, sul tavolo c'erano altre due birre. Ha alzato il bicchiere per brindare.

Ha dato un sorso e mi ha detto: «Sta morendo».

Avevo paura di aver sentito male, complice anche l'inglese e il rumore nel pub.

«Cosa?»

«Sta morendo.»

«Chi sta morendo?» ho chiesto allarmato.

«Lei, a casa» ha risposto indicando in direzione dei nostri appartamenti.

In un secondo ho capito tutto, la suocera stava morendo. Tra tutte le supposizioni a questa non avevo pensato, sembrava così in salute.

Ho detto la prima cosa che mi è venuta in mente: «È anche giovane, tutto sommato».

«Giovanissima, cinquantadue anni.»

Mi è sembrato di nuovo di aver capito male: «Cinquantadue? Ma chi?».

«Ellen, ha cinquantadue anni.»

Un calore mi è esploso in faccia. Stava parlando di sua moglie. Ha fatto un mezzo sorriso.

«Le hanno dato più o meno nove mesi. Ne sono passati solo due» ha detto prima di guardare di nuovo nel vuoto.

Il fatto che fossimo due sconosciuti lo aveva aiutato ad aprirsi. Carl si confidava e io continuavo a chiedermi cosa avrei provato se fosse successo ad Anna. Mi ha raccontato che, quando avevano ricevuto la notizia, lui era crollato.

«Lei invece non ha avuto nessuna reazione. Era come dentro una bolla, tutto era attutito. Più di una volta è stata lei ad aiutare me. Adesso ci diamo forza l'un l'altra. Dopo infiniti consulti da ogni tipo di specialista, Ellen una sera mi ha preso il viso tra le mani e ha detto: "Basta".»

Mi è venuta la pelle d'oca. Invece di passare il suo tempo tra gli ospedali, Ellen gli aveva chiesto di fare un viaggio. Ed eccoli qui.

«È sempre stata un vulcano di idee, non è mai stata ferma. Aveva tre desideri: vedere l'Australia e la Nuova Zelanda, passare il tempo che le rimane con le persone a lei care, ecco perché c'è anche la mamma...»

«Volete un altro giro?» ha chiesto il cameriere.

«Sì, grazie» ha risposto Carl.

«Anche per me.»

Quando il cameriere si è allontanato, ho ripreso il discorso: «Non sarà facile per Elizabeth sapere che sta perdendo una figlia».

«Non glielo abbiamo detto.»

Ero ammutolito. L'ho guardato: «Ma non si arrabbierà quando lo scoprirà?».

«Credo di sì, ma rispetto la volontà di Ellen.»

Non era facile capire quale fosse la cosa giusta da fare, sempre che ne esistesse una.

Carl continuava a parlare, sembrava liberarsi di un peso, ascoltare era l'unica cosa che potessi fare.

Il cameriere è arrivato con le birre.

«Ellen ti ha mai detto se è vero che quando scopri di stare per morire vivi tutto in maniera più intensa?» ho chiesto a Carl.

«Sì, dice che è tutto più bello, anche il nostro modo di stare insieme. La vita non ci trascura più.»

La cosa che mi colpiva quando parlava era che usava sempre il "noi".

«Non sono tanto sicuro che sia giusto non averlo detto alla mamma» mi sono permesso di dire.

«Neanche noi. Abbiamo iniziato a pensare: aspettiamo ancora qualche giorno, poi qualche giorno ancora, e alla fine non ce la siamo più sentita.»

Ho cercato di immaginarmi la situazione, sapere di stare per morire e avere pochi mesi davanti. Non ci sono riuscito.

La serata è continuata e non ne abbiamo più parlato. Siamo riusciti anche a ridere, più di una volta. Era la magia della vita, che va avanti nonostante tutto.

Una volta a casa, non vedevo l'ora di raccontarlo ad Anna, ma stava già dormendo.

Mi sono sdraiato, continuavo a pensare alle cose

che mi aveva detto Carl. Mi sono ricordato che non mi aveva detto il terzo desiderio di Ellen. Quale sarà?, mi sono chiesto. Non mi veniva in mente nulla, eppure la testa andava a mille.

Ho pensato al personaggio di *Guerra e pace,* che davanti al plotone di esecuzione vede cadere i suoi compagni uno a uno, e alla fine viene risparmiato. Da quel momento diventa un'altra persona.

Ho pensato anche ai monaci che tengono un teschio nella loro cella per ricordarsi della morte, così da vivere con più consapevolezza.

Avrei dovuto comprare anche io un teschio, mi sono detto. Qualcosa che mi ricordasse di non perdere tempo, di non rimandare, di trovare la forza per fare scelte e cambiamenti profondi.

Carl mi aveva raccontato che la conquista più grande di Ellen era stata imparare a lasciar andare. Ciò che la faceva stare bene non era quello che tratteneva, ma quello che lasciava.

28

Quando ci siamo svegliati pioveva fortissimo. Ho spostato la tenda che dava sul giardino e la prima cosa che ho visto è stata Ellen, seduta sotto la veranda con una coperta sulle spalle e una tazza di caffè in mano.

Mi è venuto in mente quello che mi aveva detto Carl la sera prima, Ellen non voleva si sapesse che era malata, perché le persone cambiavano atteggiamento nei suoi confronti. Aveva ragione, se l'avessi vista così senza sapere niente, non avrei sentito la pena che provavo per lei in quel momento. Carl mi aveva anche detto che la cosa più difficile per lei non era rinunciare al futuro, ma rinunciare al passato, a tutto quello che aveva vissuto, le persone che aveva amato, i suoi ricordi.

Mentre la guardavo da dietro la tenda cercavo di capire a cosa stesse pensando, cosa provasse ad avere a che fare con la morte, sapere che stava arrivando a prenderla, che era in cammino verso di lei.

Una poesia di Gibran che amavo da ragazzino parlava del viaggio, dell'andare e del restare, e finiva in questo modo: "Solo l'amore e la morte cambiano ogni cosa". Mi sono domandato quale, tra queste due esperienze, fosse più potente.

Mentre facevamo colazione, senza che Matteo capisse, ho raccontato ad Anna la situazione. Anche se si erano appena conosciute, Anna si era già affezionata.

«Che brutta cosa» ha detto con vero dispiacere.

Durante il giorno ho avuto paura di parlare con Ellen, non volevo essere troppo gentile, farle intuire che sapevo. Anna invece era brava, riusciva a trattarla come aveva fatto il giorno precedente.

La sera siamo andati tutti insieme al cinema all'aperto, davano *La strana coppia*, con Jack Lemmon e Walter Matthau, un classico che mi fa sempre ridere.

Da dove ero seduto potevo vedere il profilo di Ellen e di sua madre. Guardavo quella signora anziana con un viso elegante, buono, e mi si spezzava il cuore al pensiero del dolore che l'avrebbe travolta. Era un dolore inevitabile, conoscerlo in anticipo non avrebbe cambiato niente: stava per perdere sua figlia. Avrei voluto alzarmi e abbracciarla.

In realtà li amavo tutti, lei, la figlia, Carl. La loro esperienza mi aveva toccato profondamente. Era bello vederli ridere per il film.

Quella sera ho capito che l'allegria e la gioia sono una cosa seria. Quando ero piccolo ridevo molto, ridevo e facevo ridere gli altri. Poi crescendo qualcosa mi ha fatto pensare che essere serio mi desse un'aria più matura, più profonda, più intelligente.

Da bambino mi chiedevo perché non ci fosse un'immagine di Gesù mentre rideva, che senso aveva essere Dio se non avevi dentro di te la gioia di vivere? Vedere ridere Carl, Ellen e sua madre davanti allo schermo mi aveva fatto sentire quanto siano potenti e sacre l'allegria e la leggerezza.

Il giorno seguente ci siamo salutati, proseguivano il loro viaggio verso sud. Carl mi ha ringraziato e io ho ringraziato lui. Nelle poche ore in cui le nostre vite si sono incrociate, mi ha fatto pensare e capire molte cose.

Prima che se ne andasse gli ho chiesto: «Qual è il terzo desiderio di Ellen?».

Lui mi ha guardato: «Non te l'ho detto?».

Ho fatto di no con la testa.

Ha sorriso. «Sentire nostalgia di casa.»

29

Mentre passeggiavo per il centro con Anna e Matteo, sono capitato davanti a un negozio per surfisti, ho visto che oltre a vendere attrezzatura sportiva proponevano lezioni tutto il giorno.

Sono entrato e ne ho prenotata una di due ore.

Quando l'ho detto ad Anna, si è stupita, in realtà io lo ero più di lei. Erano le due, alle quattro avrei iniziato.

Forse per la prima volta in vita mia non avevo paura di sembrare ridicolo. Anche i più bravi hanno avuto il loro primo giorno, mi sono detto.

L'appuntamento era in un posto dove le onde non erano molto alte ed era più facile imparare.

Alle quattro spaccate è arrivato Jeff, il mio istruttore, con due tavole da surf, una per me e una per lui. Ha messo la mia sulla spiaggia e mi ha mostrato le prime manovre: «Petto alto, un piede dietro l'altro, sguardo dritto. Imparalo a memoria come un mantra».

Matteo e Anna mi osservavano seduti un po' più lontani. Qualche giorno prima non mi sarei mai fatto vedere da lei, non mi sarei mai messo in ridicolo davanti ai suoi occhi. Dopo la complicità ritrovata, ero di nuovo capace di ridere con lei.

Ho fatto un po' di prove sulla sabbia, mi sono legato la tavola alla caviglia con la corda e ci siamo buttati. Alzarsi e stare in equilibrio sull'acqua era completamente diverso. All'inizio ero solo concentrato a ricordare le istruzioni di Jeff e non badavo alle onde. In tutta la prima ora non sono mai riuscito ad alzarmi. Poco prima che la lezione finisse, ho fatto qualche metro in piedi. Ero euforico, tanto che ho subito comprato un pacchetto di tre lezioni.

A metà della terza lezione ho iniziato a stare dritto con maggior frequenza, e quando accadeva provavo un'emozione fortissima. Avrei voluto fare solo quello nella vita. A fine lezione il sole tramontava, quella che chiamano la *golden hour*, perché tutto sembra essere d'oro, soprattutto l'oceano. Ero seduto su una tavola e galleggiavo nell'oro.

Il bello del surf non è solo cavalcare l'onda, ma stare in mezzo alla potenza dell'oceano, sentirla nell'aria, sulla pelle, sul viso. Una connessione profonda con la natura che mi riportava a me stesso.

Quando siamo usciti dall'acqua Jeff mi ha chiesto di bere una birra con lui. Il bar sulla spiaggia era pieno di ragazzi e ragazze, lui li conosceva quasi tutti.

Seduto all'aperto, con una tavola da surf vicino, stavo bene e nessuno mi aveva giudicato perché ero solo all'inizio, anzi, gli altri mi incoraggiavano. Non mi sentivo così vivo da anni.

Mentre tornavo a casa ho chiamato Anna, volevo portarla fuori a cena, avevo voglia di tenere tutte quelle sensazioni sulla cresta dell'onda. Mi sono messo anche il cappello che avevo comprato in Nuova Zelanda.

Al ristorante ho ordinato un Moscow Mule per entrambi. Anna ha fatto un'espressione sorpresa. Non si aspettava che prendessi un cocktail.

«Moscow Mule, cappello, surfista... mi piace questo nuovo Marco. A saperlo avremmo dovuto fare il viaggio anni fa.»

Ho sorriso.

C'era una buona energia quella sera, tutto girava bene, in modo naturale, senza fatica.

Tornati a casa, ho messo a letto Matteo e gli ho raccontato la sua storia preferita, facendo tutte le vocine che lo fanno ridere tanto. Poi, ho preso una bottiglia di vino bianco e sono andato in giardino.

C'era un'intesa diversa tra me e Anna, quasi fossimo più amici che altro. Ci siamo concessi di essere sinceri.

«Ma tu lo hai capito perché ci siamo ritrovati a questo punto?» le ho chiesto.

Mi ha guardato, forse non si aspettava una domanda così diretta.

«Non lo so, forse è stato per una serie di piccole cose.»

L'ho guardata dritta negli occhi e poi le ho domandato se ce l'avremmo fatta a superare questo momento.

«Sinceramente non te lo so dire. L'unica cosa che so è che non voglio più vivere come in questi ultimi anni.»

Ero d'accordo.

«Ti ricordi quando a Milano, sulla panchina, ti ho detto che non mi piace la donna che sono diventata?»

Ho annuito.
«Sono convinta che potrei essere molto di più, se solo non dovessi rinunciare ogni giorno a un pezzo di me e di ciò che voglio.»
Era esattamente quello che sentivo io.
«C'è chi sostiene che un rapporto è vivo se cresce o se crescono le due persone.»
L'ho guardata: «Dici che siamo morti?».
«Forse solo moribondi.»
Abbiamo riso.
«Sai una cosa che proprio non capisco di te?» le ho detto.
Mi ascoltava.
«Rispetto all'inizio sei diventata molto più permalosa.»
«Non sono permalosa, la maggior parte delle volte in cui ti sembro incazzata in realtà sono solo ferita.»
Mi sono reso conto di non sapere niente di lei.
«Mi sarebbe piaciuto anche vederti un po' più geloso» se n'è uscita a bruciapelo, confondendomi ancora di più le idee.
«Ma se ti lamentavi sempre del tuo ex proprio per questo!»
«Non dico come lui, solo un pochino. Non lo sei perché ti senti sicuro di te e dai troppe cose per scontate. Quando esco con le mie amiche, non mi chiedi nemmeno dove sono stata. A volte tornavo tardi apposta per provocare una reazione. Ma niente.»
Era l'ultima cosa che mi sarei aspettato di sentire. Non avrei mai capito le donne.
Abbiamo sorriso, probabilmente per motivi diversi.
La storia della gelosia aveva reso tutto più diver-

tente, ho pensato che fosse il momento buono per dirle di Amsterdam.

«Mamma.»

«Cosa ci fai ancora sveglio?»

Matteo era in piedi davanti alla porta.

«Voglio stare qui con voi.»

Anna si è alzata per riportarlo a letto.

Sono rimasto da solo seduto nel nostro giardino. Ho pensato a quello che ci eravamo detti e a tutto quello che avrei potuto aggiungere, ma che avevo taciuto. Una cosa su tutte: all'inizio ai suoi occhi ero un supereroe. Mi guardava in un modo che mi faceva sentire imbattibile, immortale. Poi lentamente sono rimpicciolito, fino a quando mi ha tolto dal piedistallo per sempre. Eravamo arrivati al punto in cui mi rendevo conto che le dava fastidio tutto di me, come masticavo a tavola, come impugnavo le posate, come bevevo, perfino il suono del mio respiro. Il suo distacco e l'intolleranza mi ferivano in profondità.

Se mi avesse trattato ancora come se fossi speciale, forse questa crisi non sarebbe stata così grave. Negli ultimi anni mi aveva fatto sentire piccolo, inutile, come una lampadina accesa in una giornata di sole.

Intanto, Anna non arrivava più, e io ero stanco, così sono andato in bagno. Appena uscito, l'ho incrociata sulla porta.

«Non voleva addormentarsi. Andiamo a letto? Sono stanca morta.»

L'ho guardata con sospetto: «Dove sei stata tutto questo tempo? Non è che sei uscita dalla finestra e ti sei vista con qualcuno?».

È scoppiata a ridere.

«Vedo che la gelosia funziona.»
«Non t'immagini quanto.»
Mi ha messo una mano sul petto e mi ha spinto in camera.

30

Io e Matteo ci siamo presi un pomeriggio per noi e abbiamo dato la libera uscita ad Anna, che ne ha approfittato per passare del tempo per conto suo. Siamo stati sulla spiaggia e poi al parco giochi, dove c'erano altalene e scivoli. Un gruppo di bambini si inseguivano con dei fucili spara-acqua.

Matteo se ne stava per conto suo, guardandoli. Non ci voleva molto per capire quanto volesse far parte di quel gruppetto.

«Perché non vai a giocare con loro?»

Non mi ha risposto, ha solo scosso la testa. La sua timidezza, la sua paura gli impedivano di avvicinarsi e mi ricordavano tanto la mia di quand'ero bambino.

«Vedi la scatola di legno vicino alla fontanella? Ci sono degli altri fucili. Vai lì, ne prendi uno e giochi. Se vuoi ti accompagno.»

Ha scosso di nuovo la testa, io ho insistito e alla fine mi ha dato la mano per farsi accompagnare. Il cuore mi si è sciolto come burro.

Ho preso un fucile dalla scatola e l'ho riempito, a differenza delle pistole ad acqua dei miei tempi questi erano armi da guerra, si dovevano addirittura caricare come veri fucili a pompa. Gli ho mostrato come si faceva.

«Devi tirare indietro, più lo carichi e più il getto è forte.»

Era immobile, non voleva nemmeno prenderlo in mano. Allora ci siamo allontanati dal gruppo, in modo che potesse passare inosservato. Gli ho dato il fucile e l'ha preso subito in mano.

«Provalo, dài, sparami!»

Tutta la sua timidezza di colpo è sparita. Mi ha sparato ed è scoppiato a ridere. Sparava e rideva, io fingevo di scappare e lui mi inseguiva. Quando il fucile si è scaricato siamo tornati alla fontanella e lo abbiamo riempito.

«Adesso gioca con loro» ho detto di nuovo, e la gioia che aveva sul viso è sparita lasciando spazio al panico.

«No, torniamo là.»

E ha indicato il punto dove eravamo prima.

«Giochiamo ancora che tu scappi e io ti inseguo.»

Mi ha guardato con gli occhi speranzosi, desiderava che gli dicessi di sì. Assecondarlo significava prendere la strada più facile.

In un istante mi è tornato vivido alla mente un episodio della mia infanzia. Per qualche anno, d'estate siamo andati al mare in Liguria, prendevamo in affitto l'appartamento di un amico di mio padre, che aveva un figlio della mia stessa età. La cameretta dove dormivo era piena di giocattoli. Prima di partire ero sempre eccitatissimo all'idea di scoprire quali nuovi giochi avrei trovato.

La routine della vacanza era: spiaggia la mattina,

pranzo a casa, riposo per mio padre e mia madre, e poi un paio d'ore di spiaggia nel tardo pomeriggio. La sera, passeggiata con gelato e quattro giri di giostra a gettone per me.

Una mattina il cielo era grigio, minacciava brutto, i miei genitori avevano deciso di rimanere a casa. In cortile c'era un gruppo di bambini che giocavano, mi avevano attirato con i loro schiamazzi e io mi ero imbambolato alla finestra a guardarli, dimenticandomi di tutti i giocattoli nuovi.

«Perché non scendi a giocare con loro?» ha detto mia madre, mentre asciugava la scodella della colazione con uno strofinaccio. Mio padre era seduto in poltrona, impegnato a leggere il giornale.

«Non ho voglia.»

Morivo dalla voglia, ma ero intimidito. Mi sono allontanato dalla finestra e sono tornato a far andare delle macchinine.

«Vestiti e scendi a giocare con loro. Poi se andiamo al mare ti chiamiamo.»

Mio padre aveva appoggiato il giornale sulle ginocchia e mi guardava dritto negli occhi.

«Preferisco giocare qui da solo.»

«Non ti ho chiesto se vuoi andare, ti ho detto che devi scendere.»

Ero in preda all'agitazione.

«Perché?»

«Perché lo dico io.»

Ho cercato lo sguardo di mia madre.

«Se non se la sente, può andare un'altra volta.»

Mio padre era serio. Mia madre ha ripreso le sue faccende senza intromettersi. In quel momento ho pensato con tutto il mio cuore che fosse cattivo.

Si è alzato dalla poltrona ed è andato ad aprire la porta: «Ci vediamo dopo».

Ho cercato ancora lo sguardo di mia madre, questa volta non l'ho trovato. Non avevo scampo. Sono uscito e mio padre mi ha chiuso la porta alle spalle. Mi sono seduto sul pianerottolo e ho pianto, sottovoce.

Ho sentito la porta aprirsi, era di sicuro mia madre che veniva a consolarmi, non vedevo l'ora di sentirmi al sicuro tra le sue braccia.

«Se non scendi a giocare, in questa casa non entri più. Regolati.»

La voce e lo sguardo di mio padre erano ancora più duri. Ero spaventato, mi stavo davvero mettendo nei guai. Ho raccolto tutto il coraggio che avevo e sono sceso.

In cortile mi sono seduto in un angolo a guardarli, avrei passato così tutta la mattina se la palla con cui stavano giocando non fosse arrivata vicino ai miei piedi. L'ho presa e l'ho data a un bambino che aveva un paio d'anni più di me.

«Vuoi giocare? Ce ne manca uno per poter fare due squadre.»

Ho annuito ed ero già in campo. Non avrei mai immaginato che sarebbe stato così facile.

Abbiamo giocato tutta la mattina. I miei genitori non sono mai venuti a chiamarmi per andare in spiaggia. All'ora di pranzo, quando siamo dovuti salire tutti quanti, ero quasi dispiaciuto.

«Ci vediamo ancora dopo?» ho domandato.

«Non si può giocare fino alle quattro, ci vediamo a quell'ora.»

Sono salito in casa facendo due gradini alla volta.

In bagno, mentre mi lavavo le mani, mi sono guardato allo specchio, avevo la faccia rossa per il caldo ed ero così sudato che le punte dei capelli erano tutte appiccicate.

Durante il pranzo ho parlato tantissimo, ero entusiasta. Quando mio padre si è alzato per andare in poltrona, passandomi vicino mi ha spettinato i capelli. Era il suo modo di dirmi che mi voleva bene.

Un giorno, da adulti, abbiamo ricordato quell'episodio. Mi ha confessato che gli era costato moltissimo lasciarmi dietro la porta a singhiozzare, ma sapeva che spingermi era la cosa giusta da fare. Ed era disposto a pagarne il prezzo. Ricordo altre situazioni in cui ha avuto la forza di fare e dire delle cose che gli dispiacevano, col tempo riconosco che sono stati i suoi insegnamenti più preziosi.

Ora Matteo mi stava guardando con il suo fucile ad acqua carico.

«Andiamo?»

«Io resto seduto qui e ti guardo. Adesso tu vai a giocare con quei bambini.»

Era il ricordo di mio padre che mi dava la forza di tenere il punto con lui.

«Voglio giocare con te.»

«Vai, io non gioco con te.»

Matteo non si muoveva.

«Se non ci vai, torno a casa e ti lascio qui.»

Matteo ha esitato ancora, poi si è avvicinato al gruppo di ragazzini, ma la situazione era in stallo, perché lui non sparava e quelli continuavano a giocare fra loro. Ho pensato di trovare una via di mezzo, di trovare un mio modo, diverso da quello di mio padre, per portarlo fuori dal suo guscio.

«Attenti che vi bagna!» ho detto in inglese, e gli

altri bambini hanno iniziato a sparare a Matteo, che ha risposto subito al fuoco.

Dopo qualche minuto la mia presenza non serviva più, e mi sono seduto su una panchina poco distante.

Quando Matteo è tornato da me, nel suo viso si leggeva la felicità e in quella felicità ho rivisto la mia di quando ero bambino.

«Grazie, papà» ho detto a bassa voce.

31

Mi sono svegliato con un sobbalzo, avevo il cuore in gola.

Ho sognato che stavo morendo. Ho guardato il telefono, erano le cinque e tredici minuti.

La paura mi è rimasta addosso e non sono più riuscito a riaddormentarmi, sono andato prima in cucina e poi a sedermi fuori in giardino.

Nel sogno ero in spiaggia, con me c'erano Anna, Matteo, mio padre, mia madre e i miei nonni materni.

Poi di colpo ho cominciato a sprofondare come se mi trovassi su delle sabbie mobili, Anna si è allontanata portando con sé Matteo in salvo. Anche mia madre e i miei nonni se ne sono andati. Solo mio padre è rimasto, cercava di allungare la mano verso di me.

«Aiutami papà, aiutami!» gridavo.

Nessuno di loro piangeva, né sembrava sconvolto o preoccupato. Quando mio padre si è reso conto che non poteva fare nulla per me, mi ha salutato: «Non ci vedremo mai più, Marco, non ci vedremo mai più».

Mi sono voltato a guardare Anna e Matteo che si allontanavano insieme agli altri, di spalle.

Ormai ero sprofondato fino al collo. La sabbia, come fango, mi entrava in bocca ed è stato in quel momento che mi sono svegliato di soprassalto.

Seduto fuori in giardino guardavo l'alba e mi chiedevo se il sogno avesse un significato. Se anche ce l'avesse avuto, non riuscivo a immaginare quale potesse essere.

Sono rientrato e, per scacciare quelle immagini, ho preparato la colazione per tutti.

La giornata poi ha preso una piega decisamente diversa, quando abbiamo scoperto di avere dei nuovi vicini, una coppia di spagnoli sulla sessantina. Già da come ridevano tra loro si capiva che amavano divertirsi e godersela.

La sera ci siamo trovati vicini nella zona comune, e alla fine abbiamo cenato insieme allo stesso barbecue. Erano due professori in pensione, Adrian insegnava filosofia, Alma arte. Lei era ancora affascinante, capelli scuri, seno prosperoso, labbra carnose. Da giovane doveva essere stata irresistibile. Erano sposati da quindici anni, e da quando stavano insieme avevano girato tutto il mondo.

«Da quando non lavoriamo più, poi, siamo sempre in giro» ha detto Alma, Adrian la guardava con tenerezza.

«Viaggiare è la felicità per gli inquieti, come diceva Camus. Ed eccoci qua» ha aggiunto lui ridendo.

Anche a Matteo piacevano, gli parlavano in spagnolo e lui capiva, forse per l'assonanza con l'italiano.

Adrian era già stato sposato e aveva avuto una figlia dal precedente matrimonio.

«Adele ha trentasette anni, lavora in una galleria d'arte a Siviglia. Se questa estate venite da noi, magari la incontrate. Parla italiano perfettamente. Ha studiato a Firenze.»

«Come fai ad avere una figlia di trentasette anni?» Ero sorpreso.

«Semplice, l'ho avuta giovane.»

«E a che età ti sei sposato?»

«Ventun anni, qualche mese prima che nascesse. Sono rimasto sposato quasi dieci anni, poi ci siamo separati. Mi ero convinto che la coppia non facesse per me, dopo ho capito che il problema ero io. Ho passato un periodo difficile e un giorno ho incontrato Alma, allora tutta la mia vita ha avuto un senso.»

Ha preso la mano di sua moglie e le ha dato un bacio, con l'altra mano ha alzato il bicchiere: «*Viva la vida!*».

Anche se un po' teatrale, Adrian sembrava sinceramente innamorato di Alma. La loro storia mi prendeva, ho pensato che potesse aiutarmi a capire di più della mia e a darmi una direzione verso cui andare.

«Vai d'accordo con tua figlia?» gli ho domandato. Volevo capire se fosse possibile mantenere un buon rapporto con i figli dopo la separazione, non avrei sopportato di mettere a rischio il futuro tra me e Matteo.

«Lo adora» ha risposto Alma per lui.

Ho sorriso, ero felice per me.

«Dove vi siete conosciuti?»

All'improvviso tutto di loro m'incuriosiva.

«Sono stata trasferita nel liceo dove insegnava lui.»

Adrian ha proseguito il racconto: «La prima volta che l'ho vista camminava lungo il corridoio e ho avuto l'impressione che mi stesse venendo incontro, un'apparizione. Non avevo mai visto una donna più bella in tutta la mia vita. Da quel giorno l'ho corteggiata senza tregua finché non l'ho convinta a uscire a cena con me. Era commovente e buffo allo stesso tempo».

«E quanto c'è voluto?»

«Tantissimo» ha detto lui.

«Poco» ha detto lei.

Siamo scoppiati a ridere.

«Due mesi. Alla fine l'ho presa per sfinimento.»

Abbiamo riso ancora.

La bottiglia di vino era vuota.

«Vado a prenderne un'altra al ristorante all'angolo» ha detto Adrian alzandosi.

«Noi donne sparecchiamo e sistemiamo tutto, poi io metto a letto Matteo, e nel frattempo voi andate a prendere il vino.»

Anna aveva trovato la soluzione migliore, l'idea di stare da solo con lui mi piaceva. Ho abbracciato Matteo e gli ho fatto il solletico, poi gli ho dato il bacio della buonanotte.

Mentre passeggiavamo ho parlato a Adrian del mio lavoro.

«Sei felice? Ti piace ancora farlo?»

«Molto. Ho la possibilità di crescere, ma dovrei trasferirmi e non so se è possibile, con la famiglia.»

Prima di entrare al ristorante mi ha detto: «Sai qual è lo strumento più potente che un uomo possiede? Il pensiero. Si diventa ciò che si pensa. Marco Aurelio diceva che la felicità della tua vita dipende dalla qualità dei tuoi pensieri. Anche se è difficile, bisogna tenere sempre il pensiero alto, pulito, fuori dalle faccende stupide. Come un uccello che vola e che non si cura dei muretti e delle staccionate».

Siamo entrati e Adrian ha comprato due bottiglie, ha detto che una non ci avrebbe fatto niente, e poi ha riso.

Al nostro ritorno Matteo era già a letto, Alma e Anna ci aspettavano sedute in giardino. La serata è stata una delle migliori di tutto il viaggio, io e Anna eravamo in sintonia, Alma e Adrian erano così vitali da contagiare chiunque.

Prima di andare a letto Adrian mi ha invitato a una passeggiata, il giorno seguente, in cima a una collina. Alma aveva un problema alla schiena e non ci sarebbe potuta andare, e a lui faceva piacere avere compagnia.

«Sempre che la tua dolce metà sia d'accordo» ha detto rivolto ad Anna. Non c'era niente da dire, ci sapeva proprio fare.

«Vai e divertiti» mi ha detto lei con un sorriso.

«Partenza presto?» ho chiesto.

«Sei matto? Partenza con calma, è un'escursione di un paio d'ore. Facciamo colazione e poi partiamo.»

Adrian sapeva come godersela.

«Ottimo piano.»

32

«Di solito alla mia età uno sta più volentieri a casa tranquillo, invece ho scoperto che quando viaggio mi sento acceso, vivo, pieno di energia. Il mio obiettivo è morire giovane il più tardi possibile.»

La passeggiata era poco impegnativa e lasciava a Adrian un sacco di fiato per parlare. Era un fiume in piena, un entusiasta, qualsiasi cosa facesse.

Si è interrotto solo quando davanti a noi si è spalancato un panorama mozzafiato. Siamo rimasti fermi, in silenzio, poi abbiamo proseguito.

«Cosa ti è piaciuto di Alma?»

Volevo che mi raccontasse di loro, volevo sapere se esisteva un segreto per mantenere viva una relazione perché, se ci fosse stato, di sicuro lui lo conosceva.

«Non mi sembrava vero di poterla amare. Alma mi permetteva di amarla.»

Non capivo e forse lui l'ha intuito dal mio sguardo.

«È come se tu amassi giocare a pallone e un giorno incontrassi qualcuno che ti mette nelle condizioni di farlo sempre, tutte le volte che vuoi.»

«Ma Alma non ti rompe mai le scatole?»

È scoppiato a ridere: «Conosci una donna che non rompe le scatole?».

Ho riso anch'io.

«Ogni tanto qualcuno che ti rompe le scatole è utile, ti fa capire delle cose di te, ti mette davanti a degli ostacoli. E se li superi, dopo puoi vedere cosa c'è oltre. Montagne russe, le relazioni sono montagne russe.»

Forse dovevo imparare a fare come lui, a non prendermela così tanto per Anna.

«Sembrerà assurdo, ma ogni tanto non è male farsi rompere le palle.»

Adrian non aveva remore a esprimere quello che sentiva.

Sembrava anche avere le risposte alle domande importanti.

«Posso chiederti una cosa personale?»

«Certo.»

«Quando ti sei separato hai sofferto molto?»

Mi rendevo conto che lo spettro di quel dolore mi preoccupava parecchio.

«È stato complicato e doloroso.»

«Dove hai trovato la forza di lasciarla?»

«È stata lei, non io.»

Avevo dato per scontato che fosse stato lui.

«La cosa più dolorosa è stata separarsi da Adele.»

Ho avuto un tuffo al cuore, il mio incubo peggiore, allontanarmi da Matteo.

«Uno degli errori più comuni è pensare che per riuscire ad amare basti incontrare la persona giusta. Invece, la capacità di amare non c'entra nulla con l'altra persona. È qualcosa che porti tu.»

Sono rimasto a pensare, volevo capire bene che cosa mi stesse dicendo.

«Amare richiede il coraggio di avere una relazione profonda con se stessi, non con l'altro. Non esiste l'anima gemella, piuttosto esiste un'educazione al sentimento.»

Le sue parole continuavano a girarmi in testa, come se avessero fatto scattare un cortocircuito. Adrian mi stava dicendo che il problema ero io, non Anna. E alla fine mi ha tirato una stoccata definitiva.

«Spesso chi fa fatica nelle relazioni non vuole vedersi diverso dall'idea che ha di sé. Ha paura. Ma alla fine, nella vita, tutto quello che cerchi di evitare ti torna indietro.»

Continuavo a camminare e ad ascoltare, e la testa mi si riempiva di confusione. Forse, credendo di scappare da Anna, stavo scappando da me stesso e non me ne rendevo nemmeno conto. Forse stavo prendendo la strada più facile perché ero terrorizzato di sapere chi ero davvero.

Le parole di Adrian non mi davano le risposte che cercavo, pensavo che mi avrebbe detto di godermela, di mollare Anna e andare incontro alla mia Alma, e invece stava ingarbugliando tutto.

Lui camminava in silenzio per godersi il paesaggio e la natura, io tacevo perché ero in crisi totale.

Forse non ero in grado di amare. Forse neanche Anna lo era. Due analfabeti dei sentimenti.

Alla fine della salita, c'era un grande prato verde.

«Possiamo fermarci e sederci qui, non serve che andiamo fino là in fondo. Che dici?»

«Certo» ho detto, ma a quel punto avremmo potuto essere in qualsiasi altro posto e per me non avrebbe fatto nessuna differenza. Ero completamente perso nei miei pensieri.

Abbiamo apparecchiato per il picnic, ci siamo seduti e tolti le scarpe. Prima di dare un morso al suo panino mi ha chiesto: «Come va con Anna?».

A quel punto non sapevo più cosa dire, mi sono limitato a un generico: «A volte non è facile».

Ho deciso di rischiare, di confidarmi con lui e dire la verità.

«Siamo in crisi nera.»

Mi aspettavo dicesse qualcosa per rassicurarmi, ma non ha parlato. Ha continuato a masticare.

«C'è un'altra?» mi ha chiesto con la bocca ancora piena.

«No.»

Ha deglutito. «Allora è salvabile.»

«Non è come l'avevo immaginata. Non è la donna che pensavo fosse. E io non sono l'uomo che pensava lei.»

«È sempre così. Con le situazioni, con le cose, con le persone. È così nella vita.»

Ho continuato: «C'è qualcosa in lei che non riesco a comprendere. Anche dopo tutti questi anni, anche dopo averci vissuto insieme, anche adesso che abbiamo un figlio, ci sono momenti in cui la guardo e mi chiedo chi sia veramente».

«È un bene. È la parte misteriosa, quella sconosciuta, incomprensibile, che vi tiene legati. Quella parte ci lascia lo spazio per essere inventata. Nelle relazioni un po' ci si conosce e un po' ci si inventa.»

Abbiamo continuato a mangiare in silenzio, non sapevo rispondere a Adrian, a nessuna delle cose che diceva. Erano così nuove per me, e spiazzanti, che avevo bisogno di masticarle, così come facevo con il panino.

«Continuo a pensare a tutto quello che non mi piace di Anna, che non funziona in lei.»

«Questa mattina volevo mettere della maionese nel panino, ma era finita» ha detto lui. «Adesso sono qui che lo mangio e posso essere insoddisfatto pensando alla maionese che non c'è o assaporarlo così com'è. Ciò che è reale è questo panino, adesso. Ed è buono. Molto più buono di altri panini.»

L'ho guardato, questa volta aveva fatto centro. Io ero quello che, mentre mangiava un panino, pensava a tutti i milioni di panini diversi che avrebbe potuto mangiare e che non erano reali. Mi è venuto quasi da piangere.

«Sicuramente è più buono del tuo» ha detto, e siamo scoppiati a ridere.

Dopo mangiato ci siamo sdraiati sull'erba a occhi chiusi. Io non ero tranquillo, lui sembrava sereno come un lago. Si è appoggiato il cappellino sopra la faccia, a schermarsi dal sole.

«Questo viaggio è la cosa migliore che potevate fare. Mi sento perfino di dire che è la cosa giusta.»

Parlava da sotto il cappello.

«Non sono tanto sicuro.»

«Quello che imparerete in questo viaggio vi aiuterà alla fine. Ogni volta che torno da un viaggio sono sorpreso da quante cose scopro su di me, su Alma, sulla nostra vita. Torno sempre con occhi nuovi. Lascia che il viaggio ti metta in discussione, che ti aiuti a trovare conferme o addirittura un nuovo senso. Lascia andare un po' di rigidità. Soprattutto mentale.»

Ho avuto la sensazione che si fosse addormentato. Il suo respiro era più profondo. Pensavo a come fosse strana la vita. Ero sdraiato con un perfetto sconosciuto, ci eravamo incontrati il giorno prima e io gli stavo dicendo cosa avevo dentro.

Riflettevo. Quando Anna era rimasta incinta, sapevamo che la casa dove stavamo sarebbe diventata troppo piccola, e abbiamo cercato un appartamento con una stanza in più. Ero dispiaciuto di dover lasciare la vecchia casa, ma la vita ci chiedeva più spazio ed era una cosa bella.

Abbiamo scoperto un nuovo condominio in una zona che ci piaceva. Sarebbe stato pronto in pochi mesi, ci avevano dato delle brochure con le foto di come sarebbero stati gli appartamenti una volta finiti, erano addirittura arredati.

Quando siamo entrati in quella che sarebbe diventata la nostra casa, c'erano solo muri in cartongesso, pavimenti senza nemmeno la gettata. Camminavamo tra reti d'acciaio, sulle pareti buchi per le canaline dell'impianto elettrico e per i tubi idraulici.

Gironzolavamo tra quelle stanze grezze e cercavamo di fantasticare su come sarebbero diventate. Ci piaceva quello che ancora non era sotto i nostri occhi, ci rendeva felici il futuro che sarebbe stato, quello che stavamo immaginando.

Vedevamo attimi di vita, vedevamo il tavolo della cucina e noi seduti a mangiare, oppure sul divano a guardare la televisione, con Matteo nel mezzo.

Forse io e Anna abbiamo fatto l'uno con l'altra quello che avevamo fatto con il nostro appartamento. Quando ci siamo conosciuti, ci piaceva il presente e ci piaceva anche di più il futuro, quello che avevamo costruito con l'immaginazione ma che ancora non c'era. Succede a molti, vedere nell'altro quello che si vuole vedere.

Ho fatto un sorriso e mi sono appisolato.
Non saprei dire quanto io e Adrian siamo rimasti così. Poi l'ho sentito aprire la sua borraccia, ho aperto gli occhi.
Abbiamo passeggiato sul prato, per guardare il panorama da prospettive diverse, poi abbiamo raccolto le nostre cose e ci siamo diretti a casa.
Poco prima di arrivare Adrian mi ha domandato: «Tu, Marco, cosa senti? Mi hai raccontato nel dettaglio tutto quello che pensi, quello che non ti piace di Anna e della vostra relazione, ma non mi hai mai detto quali sono i tuoi sentimenti».
Non lo sapevo più, avevo rimasticato la mia situazione per così tanto tempo che adesso non capivo nemmeno che sapore avesse quello che stavo mangiando. Adrian ha percepito quanto fossi confuso e perso.
«Forse dovresti smettere un po' di far andare quella testa e cominciare a vivere le cose, lasciare che ti tocchino, che ti cambino. E poi ripartire da lì.»
Ha aspettato qualche secondo prima di aggiungere: «Alla fine spero che le cose si sistemino. Tu, Anna e Matteo avete una cosa preziosa insieme».
Parlava con affetto e sincerità. L'ho guardato: «Certe volte penso che sia tutta colpa di Cenerentola. Ci ritroviamo tutti in giro con questa scarpetta a cercare il piede della misura perfetta».
Adrian ha riso.
«Cenate con noi stasera?» gli ho chiesto.
«Stasera no, ho lasciato Alma da sola tutto il giorno e voglio portarla fuori, una cenetta romantica.»
Non ci avevo nemmeno pensato, e non perché io e Anna eravamo in crisi, non ci sarei arrivato nemmeno in un momento di normalità.

«A volte la donna che ami ha bisogno di essere guardata con i suoi occhi» mi ha detto Adrian.

Quella sera ho cercato di essere il più gentile possibile con Anna, e affettuoso. I discorsi di Adrian avevano aperto un varco e cominciavo a credere di avere più responsabilità di quanto pensassi nella nostra crisi. Se ero io ad aver sbagliato con Anna, ero io quello che poteva rimediare. Mi sono fatto una promessa, avrei provato di tutto per aggiustare le cose tra di noi.

Per cominciare ho cancellato il numero "Dentista" dal telefono, rovistare nel passato non mi avrebbe portato a niente di buono. In Loredana non cercavo un'altra donna, cercavo quello che ero prima di incontrare Anna, un altro me. Per trovarlo dovevo guardare avanti con più coraggio, e davanti a me c'era Anna. Avrei iniziato con l'essere più attento, come faceva Adrian con sua moglie. Mi ero accorto che bastavano piccoli gesti per cambiare l'atmosfera di una serata e rendere Anna felice. Sarei partito da lì, ed ero sicuro che le cose sarebbero migliorate.

La mattina seguente, quando mi sono svegliato, Alma e Adrian erano seduti a bere il loro caffè. Ci siamo salutati.

«Come è andata la cena?» ho chiesto.

Alma ha risposto raggiante: «Benissimo».

Adrian aveva avuto ragione a portarla fuori.

Più tardi sarebbero partiti, altri nuovi amici da salutare. Questa volta non sarebbe stata dura solo per Matteo, anche a me dispiaceva molto, avrei voluto avere altro tempo con Adrian, stare con lui mi aveva fatto sentire bene, più leggero.

Prima di andarsene, Adrian mi ha portato una bottiglia di vino.

«Questa è per voi. Stasera metti a letto Matteo e te la gusti con Anna.»

L'ho guardato, il suo gesto mi aveva commosso.

Mentre lo aiutavo a caricare le valigie in auto mi ha detto: «Ho ripensato a Cenerentola e sono arrivato a questa conclusione: se perdi una scarpa nel fare due scalini significa che non ti calza a pennello, ed è leggermente più grande».

Sono scoppiato a ridere. Era un'osservazione divertente e acuta allo stesso tempo.

«Che succede?» ha chiesto Alma mentre saliva in auto.

«Voglio essere amico di questo uomo per tutta la vita» ho detto, e Adrian mi ha abbracciato.

33

In spiaggia giocavo a frisbee con Matteo. Ormai aveva imparato, riusciva a lanciarlo e a volte anche a prenderlo al volo. Quando lo acchiappava era così felice che poi faceva una cronaca dettagliata ed entusiasta della sua presa, simulando il momento in cui lo aveva afferrato.

Prima di tornare a casa ci siamo fatti un bagno, Matteo è corso verso l'oceano e si è tuffato da solo. Era cambiato moltissimo dall'inizio del viaggio, aveva guadagnato sicurezza e disinvoltura, anche con gli altri bambini. Quest'esperienza gli aveva fatto bene.

Nel rientrare, abbiamo attraversato un vicolo stretto, le nostre voci rimbombavano e creavano un'eco.

«Papà, perché il cielo mi ricopia?» ha detto e sono scoppiato a ridere, subito ha riso anche lui. Mi piaceva starci insieme, avevamo trovato un'intesa speciale, più intima di quando eravamo a casa.

Appena siamo rientrati, mi sono accorto che Anna, seduta sul divano, aveva un'espressione tesa.

«Cosa è successo?»

«Pensavo.»

Si è alzata e ha portato Matteo in bagno per lavarlo. Io sono andato in cucina, mi sono preso una birra e sono uscito in giardino.

Quando Matteo è stato pulito, vestito e si è seduto davanti al suo cartone preferito, Anna è venuta in giardino con me. Non c'è stato nemmeno il tempo di chiederle per quale motivo fosse così di cattivo umore.

«Perché non mi hai detto di Amsterdam?»

Ero pietrificato.

«Come lo sai?»

«Ti è squillato il telefono diverse volte, alla fine ho risposto per dire che non c'eri. Era Oscar, mi ha detto che possiamo festeggiare, hanno scelto te.»

Ho tentato una difesa, già debole in partenza: «Non c'era niente di certo, avevo solo dato la mia disponibilità per vedere cosa sarebbe successo».

«Mi hai detto che avresti rifiutato. Mi hai mentito.»

Non sapevo cosa dire. Anna aveva ragione. Punto.

È partita alla carica: «Perché mi hai mentito?».

«Non ti ho mentito. Se non mi avessero scelto non te lo avrei neanche detto e non ci sarebbero stati problemi.»

«Di male in peggio» ha detto furiosa. «E adesso cosa pensi di fare? Vai a vivere ad Amsterdam da solo o hai pianificato di convincermi?»

Ho deciso di essere onesto, non avevo altra strada: «Senti, questo trasferimento è una prova, una specie di esame per poi diventare capoprogetto a Milano. Si tratta solo di due, tre anni».

«Non cambia nulla se si tratta di due anni o di dieci, avresti dovuto dirmelo. Me lo hai chiesto, ne abbiamo parlato, ti ho detto che non me la sentivo e tu mi hai mentito e sei andato avanti per la tua strada. Matteo inizia la scuola, io ricomincio a lavorare, non ci sei solo tu, anche se pensi che le nostre vite contino meno.»

Stavo per dirle che ero io quello che portava i soldi a casa, ma solo il pensiero mi ha fatto sentire meschino.

«Sai quanti anni e quanti sacrifici mi ci sono voluti per arrivare qui? E adesso cosa faccio? Mi fermo? Non faccio l'ultimo passo?»

«Questo non è un traguardo per te, è come al solito una partenza per qualcos'altro. Non ti basta mai, Marco.»

L'ho guardata negli occhi, dentro di me sentivo salire rabbia e frustrazione.

«A volte sembri gelosa del mio lavoro, sembri in competizione con me.»

Il suo sguardo era pieno di ostilità.

«In tutti questi anni hai dato il tuo meglio al lavoro, a me hai riservato gli avanzi. È così che mi sento» ha detto sull'orlo delle lacrime. Eravamo alla resa dei conti.

Matteo è venuto da noi, era scosso, si era accorto che stava succedendo qualcosa di brutto.

«Non litigate» ha detto con il magone, Anna l'ha preso in braccio.

«Vieni, andiamo a prepararci per uscire.»

Ed è sgusciata via, lasciandomi solo con la mia frustrazione e la birra calda in mano.

Mi sono fatto una doccia, già immaginando la tensione dissimulata della cena, le poche parole e i sorrisi a denti stretti. Una tortura, e così è stato. Per tutto il tempo ho desiderato che finisse presto.

A casa sapevamo che ci aspettava un'altra discussione.

«Non ho voglia di litigare» ho detto nel tentativo di mitigare i toni e vedere se si poteva affrontare la cosa con meno rabbia.

«Nemmeno io.»

Anna era triste più che incazzata, era arresa. Questa volta sembrava proprio inevitabile rinunciare l'uno all'altra.

Dopo un lungo silenzio, pacata, ha detto: «Non ho mai capito cosa ti manca. Perché non ti basta quello che hai?».

Parlava e guardava lontano, come se non si aspettasse una risposta, ma facesse riflessioni a voce alta.

«Quando mi hai detto che non eri più sicuro di amarmi, invece di cadere nel terrore, nel panico, ero pronta e la mattina dopo ero quasi sollevata, triste ma sollevata. Ho sempre saputo che un giorno te ne saresti andato e negli ultimi anni non ho fatto altro che prepararmi al momento.»

Mi stava dicendo che sapeva già che sarebbe successo e in un certo senso dimostrava di conoscermi meglio di quanto potessi fare io.

«Quella notte mi hai sorpreso» ha continuato. «Pensavo non avresti mai avuto il coraggio, credevo che avrei dovuto essere io a fare il passo. E invece quella volta sei stato onesto.»

Non sapevo cosa rispondere, la verità era che all'epoca non conoscevo niente di me ed ero terrorizzato di scoprire cose che non mi sarebbero piaciute. Ho cambiato discorso.

«Senti Anna, non mettermi con le spalle al muro, non chiedermi di scegliere tra noi e il mio lavoro.»

Mi ha guardato, ma ormai era lontana. Ho sentito per la prima volta di averla persa davvero.

«Adesso cosa vuoi fare?» mi ha chiesto.

«Pensavo di parlarne con te.»

«Adesso è tardi per parlarne. Spetta a te decidere.»

Aveva preso la sua direzione e non sarebbe tornata indietro.

Siamo rimasti seduti l'uno di fronte all'altra. Sembravamo due guerrieri esausti dopo l'ennesima battaglia, senza forze, ognuno con le proprie ragioni, le proprie ferite.

34

«Papà, cosa fai qui?» mi ha chiesto Matteo quando mi ha visto sul divano.

«Buongiorno, Matteo, come stai?»

Gli ho parlato con tono formale e facendo un piccolo inchino, come se mi rivolgessi a un principe, e lui ha riso. Ero riuscito a distrarlo e a evitare di rispondere alla sua domanda.

Quando Anna è arrivata in cucina, ci siamo salutati, ma il silenzio è stato il linguaggio di tutta la colazione.

Abbiamo pensato fosse meglio passare la mattinata separati, io ho preso con me Matteo e lei è rimasta da sola. Avremmo giocato ai giardinetti e poi avremmo pranzato fuori tutti insieme.

Mentre andavamo verso il ristorante, ho voluto indagare su come lui avrebbe preso la separazione tra me e sua madre.

«Sai cosa ho pensato? Che forse quando torniamo a Milano potrei prendere un'altra casa e ogni tanto potremmo andare a dormire lì.»

«Perché?»

Mi ha guardato stranito.
«Avresti due camerette, con giocattoli diversi. Sarebbe più divertente.»
«Ma quando andiamo a dormire in quella casa viene anche la mamma?»
«La mamma sta dove abitiamo adesso e tu stai un po' con lei e un po' nella casa nuova con me.»
«Ma io non voglio, a me piace tutti insieme.»
Non l'avevo convinto.
«Non è un po' una seccatura sempre tutti insieme?»
Matteo si è fermato e mi ha guardato: «Ma papà, è la seccatura più bella del mondo».
Ed è scoppiato a ridere. Sono rimasto senza fiato. Non ero sicuro che capisse cosa aveva appena detto, ma le sue parole mi erano entrate dritte nel cuore.
Sapevo che adesso era il momento più sbagliato per lasciarsi, perché Matteo iniziava la scuola, un passaggio delicato e importante. Non ho avuto il coraggio di continuare la conversazione.
Quando siamo arrivati, Anna ci stava già aspettando, Matteo le è andato incontro di corsa e le è saltato in braccio.
Dopo pranzo ci siamo ritrovati in spiaggia. Matteo giocava con la sabbia, era diventato bravo a fare i castelli, io e Anna ci siamo ritrovati seduti accanto, in silenzio, da soli. L'imbarazzo di entrambi era evidente. Sapevo che avremmo dovuto confrontarci, il problema era come cominciare. È stata lei a rompere il ghiaccio.
«Ho pensato molto questa mattina.»
Restavo in silenzio, in attesa che staccasse la spina.
«Sono stanca di questa situazione, non ce la fac-

cio più. Voglio essere felice. E insieme non è proprio possibile.»

Continuavo a tacere.

«Sai cosa mi dispiace davvero? All'inizio volevamo le stesse cose, poi, non so come né quando, abbiamo cominciato a desiderare e sognare cose diverse.»

«Cosa desideri adesso?»

Anna giocava con la sabbia e teneva lo sguardo basso. «Mi manca poter vivere appieno quello che abbiamo.»

Non so se avevo capito bene cosa intendesse, ma non ho voluto chiedere di più.

«E alla fine non è nemmeno la storia di Amsterdam, ma è come vivi la nostra relazione. Fai, disfi, sbrighi per i fatti tuoi. Amsterdam è solo una conseguenza.»

C'è stato un altro silenzio lungo.

«E adesso cosa facciamo?» ho chiesto.

Anna non ha risposto.

«Forse dovremmo anticipare il rientro» ho azzardato, e lei ha detto: «La cosa migliore è che io e Matteo partiamo, mentre tu resti. Mi sembra una buona occasione per cominciare a separarci. Non ti so dire se questo sarà il nostro futuro, di sicuro per me adesso è il presente».

Ho sentito un pugnale entrarmi nella parte più tenera del petto.

Ero terrorizzato, non solo all'idea di vivere senza lei e Matteo, ma ancora di più all'idea di restare lì, lontano dagli amici, da mia madre, dal lavoro, dalla mia vita. Non volevo essere solo.

«Non possiamo rimanere insieme per Matteo. Cerca di capire cosa senti. Io farò lo stesso.»

Anna aveva ragione, ma la paura mi aveva tolto tutte le parole.

La sera, prima di andare sul divano, le ho detto che accettavo la sua proposta. Magari avrei sentito la sua mancanza, forse era un buon modo per capire che cosa provavo.

Anna ha cambiato il suo volo e quello di Matteo, anticipando il loro rientro di qualche giorno. Era fatta.

Abbiamo guidato sulla costa fino a Sydney e abbiamo dormito in hotel. Dalla finestra della nostra stanza si vedeva il teatro dell'Opera, finalmente avevo l'occasione di apprezzare dal vivo il lavoro di Jørn Utzon, l'avevo desiderato così tanto, eppure nella situazione in cui mi trovavo non mi provocava nessun piacere.

Il giorno della loro partenza mi sono svegliato con un senso di vuoto che mi toglieva lucidità. In bagno, da solo davanti allo specchio, per poco non mi mettevo a piangere.

Ho chiesto ad Anna di poter stare con Matteo un po', mentre lei organizzava le valigie. Mi sentivo come a un ultimo saluto, come se fossi un condannato a morte in attesa della sedia elettrica.

Quando siamo arrivati all'aeroporto Matteo mi ha chiesto: «Ma perché non vieni con noi?».

«Ho un lavoro da fare qui» ho risposto ingoiando le lacrime.

Al momento di salutarci, io e Anna avevamo entrambi gli occhi lucidi.

Sono rimasto a guardarli, lei che trascinava il trolley e Matteo con il suo zainetto a forma di canguro.

Quando sono spariti dietro le porte scorrevoli, ho sentito come se qualcuno mi stesse strappando il cuore dal petto. In auto ho cercato di farmi forza, ho fatto un lungo respiro, ma poi sono crollato. Non volevo più trattenere nulla. Sono scoppiato in lacrime. Non riuscivo a smettere, non riuscivo a far partire la macchina e andarmene.

Non mi sono mai sentito così solo in tutta la vita.

35

Ricorderò i giorni a Sydney come uno dei momenti più difficili della mia vita.

Mi svegliavo al mattino e per tutto il giorno vagavo come dentro una bolla, la stessa sensazione che avevo provato nei giorni successivi alla morte di mio padre.

C'ero, ma al tempo stesso non sentivo niente, come se fossi sott'acqua e tutto il mondo in superficie.

Nella mia testa aggravavo la situazione con nuove proiezioni, supposizioni, scenari. Il mio nemico peggiore era la mia mente. Lì a Sydney ero costretto a una pausa, da solo, libero, pieno di tempo per me. In quello spazio vuoto la mia testa aveva il sopravvento. Erano le notti a spaventarmi di più, il giorno riuscivo a gestirlo meglio.

La prima sera ho camminato per ore, l'idea di chiudermi in albergo da solo mi agitava. Il buio e le mura della stanza mi davano la claustrofobia.

Mi sono fermato in un pub, poi in un altro e un altro ancora. Alla fine ero ubriaco. In albergo mi sono buttato sul letto vestito e sono crollato.

La verità era che ero troppo lontano da tutto, da Matteo, da Anna, dalla mia vita. Più volte ho avuto la tentazione di anticipare il rientro anch'io, ma sapevo che tornare era una fuga da me, l'ennesima scorciatoia.

È stato difficilissimo.

Quando sono salito sull'aereo per Milano non vedevo l'ora di tornare a casa. Avevo voglia di stare insieme a loro. Pensavo ancora di poter risolvere le cose con Anna. E invece lei aveva già organizzato tutto, sarebbe andata come ogni estate al lago dai suoi genitori. Io avrei fatto la spola nei weekend per vedere Matteo. Ormai mi ero giocato le ferie e dovevo lavorare tutta l'estate.

Anna era ancora decisa sulla strada che aveva scelto: non eravamo più una coppia.

Non litigavamo, non c'erano discussioni, ma la realtà non lasciava spazio a dubbi, mi aveva lasciato.

Durante i weekend che passavo al lago con Matteo, Anna cercava di esserci il meno possibile. Ci dividevamo il tempo con lui.

Solo una volta ci siamo trovati da soli, io e lei. Mi ero seduto sulla sdraio in giardino prima di rimettermi in auto per tornare in città. Guardavo l'acqua ferma del lago e il profilo scuro delle montagne di fronte. Anna si è seduta sulla sdraio accanto. C'è stato un lungo, calmo silenzio tra noi.

«Avevi ragione» ha detto.

Il vento ha mosso le foglie del salice in giardino.

«Ho sempre voluto fare le cose a modo mio. Volevo tenere tutto sotto controllo perché avevo la sensazione che la mia vita mi stesse sfuggendo dalle mani. Tu eri lì vicino ed è stato facile darti la colpa di ogni cosa. Anche della mia insoddisfazione.»

L'ho guardata, la sua voce arrivava piatta, ma i suoi occhi tradivano un'emozione genuina.

«Anche la storia di Ibiza era un pretesto per scoperchiare tutto. Ero così frustrata e piena di rabbia che non volevo mollare, nonostante mi rendessi conto che era un'idea assurda. Mi dispiace.»

Avrei voluto prenderle la mano e dirle che potevamo lasciarci tutto alle spalle e tornare insieme, che mi mancava, che mi sentivo solo come un cane, senza lei e Matteo, ma qualcosa mi ha fermato. Sapevo che non era ancora il momento, che così ci saremmo ritrovati al punto di partenza nel giro di un mese.

Le ho sorriso e le ho detto semplicemente: «Grazie».

36

Tornare in ufficio è stato un sollievo, erano tutti contenti di rivedermi, perfino Sergio è venuto a salutarmi. Magari Oscar gli aveva detto della mia rinuncia ad Amsterdam, e forse lui l'aveva presa come un gesto di fedeltà alla nostra squadra. Ricominciare a lavorare mi permetteva di distrarmi e di tenere la mente impegnata, anche se continuavo a sentirmi solo e smarrito.

Di giorno mi facevo risucchiare dai nuovi progetti, la sera andavo a casa, mi cambiavo, cenavo e poi uscivo a fare lunghe camminate per la città. L'ho attraversata in lungo e in largo. La notte mi ritrovavo da solo in piazze completamente vuote, vicoli, strade.

In casa il silenzio mi ammazzava. La calma, l'ordine, l'assenza di confusione mi destabilizzavano. Giravo come un animale in gabbia, avevo paura che mi prendessero degli attacchi di panico. Più volte ho pensato di andare al lago da Anna e Matteo, anche se sapevo che stavano dormendo. Volevo entrare, sedermi sul divano e stare lì, vicino a loro. Mi sarebbe bastato quello.

Sapevo anche che sarebbe stato un modo per evitare il mio dolore. Che dopo aver fatto una cosa del genere mi sarei ritrovato al punto di partenza. Dovevo andare avanti. Tornare con Anna non sarebbe stata la soluzione.

Un weekend Anna e Matteo avrebbero fatto visita a una vecchia zia che abitava in montagna e non ci sarebbe stato modo per vedersi, il mio tempo con lui era saltato.

Durante la settimana pensavo che mi sarei goduto quei due giorni di tranquillità, a casa, tra le mie cose. Invece, la mattina mi sono svegliato con una strana agitazione addosso, non sapevo cosa farmene di tutto quel tempo. Mentre bevevo il caffè mi sforzavo di trovare qualcosa da fare, un obiettivo, una meta dove sbattere la testa. Ho escluso Nicola, non avevo voglia di parlare, e lui era troppo intelligente per cercare di nascondergli come stavo. All'improvviso mi è venuto in mente un posto in montagna dove ero stato da bambino, e dove ricordavo di avere visto i miei genitori ridere felici e spensierati.

Ho deciso di tornarci, un tentativo estremo e un po' bizzarro di ritrovare proprio quella gioia.

Mentre guidavo ho avuto la sensazione di essere in una piccola avventura, un viaggio nel passato. Stavo già meglio. L'unica cosa che mi dava noia era un bruciore di stomaco che sentivo già da un paio di giorni e che non sembrava voler passare.

Una volta arrivato, anche se lo riconoscevo, il paesaggio non risvegliava in me nessuna emozione. La verità era che del paese non ricordavo quasi nulla, solo la stanza d'albergo in cui mio padre e mia madre ridevano complici.

Sono andato a cercare l'hotel, da fuori era uguale a quello dei miei ricordi, e anche dentro. Perfino l'odore.

«Posso aiutarla?» mi ha chiesto il ragazzo alla reception.

«Sono stato qui molti anni fa, da bambino. Ero curioso di sapere se era rimasto tutto come allora.»

«Vuole vedere una stanza?»

Era gentilissimo.

«Volentieri.»

Non ricordavo dove avessimo dormito, sapevo solo che dal balconcino si vedeva la piazza.

Siamo saliti al primo piano e, quando il ragazzo ha aperto la porta, è stato un tuffo nel passato. Era uguale a come la ricordavo. Ho sentito un calore all'altezza del torace. Sono rimasto qualche secondo in silenzio, poi l'ho presa per la notte. Era bello stare lì, mi sentivo meno solo.

Mi sono buttato sul letto, ho chiuso gli occhi cercando di ridare vita ai miei ricordi. Era l'unica volta in cui avevo visto mio padre ridere. Mia madre non riusciva a smettere, con una mano si teneva la pancia, con l'altra si asciugava le lacrime. Non capivo perché ridessero, ricordo solo quanto ero stato felice.

Mi sono commosso, era così prezioso quel ricordo.

A un tratto ho sentito una strana stanchezza, ero senza forze. Mi sono infilato sotto le coperte e mi sono addormentato.

37

Mi sono svegliato di soprassalto in mezzo alla notte, il bruciore di stomaco era peggiorato e non mi faceva dormire. Non riuscivo a stare fermo, mi rigiravo, mi rotolavo, allungavo le gambe e poi mi rannicchiavo. Forse avevo qualcosa di grave, magari già un'ulcera. Sarebbe bastato chiamare la reception e farsi portare un antiacido.

Dovevo andare in bagno, con fatica mi sono alzato e mi sono avvolto nella coperta, trascinandomela dietro. Dopo aver fatto la pipì, ho visto la mia faccia riflessa nello specchio e ho riconosciuto mio padre. Non mi ero mai accorto di assomigliargli tanto. Ho rivisto nei miei occhi la sua tristezza. Il mio corpo ha vibrato, stava succedendo qualcosa, un calore mi è salito dalla bocca dello stomaco fino alla faccia, una lingua di fuoco che bruciava tutto quello che incontrava.

Mi mancava mio padre.

Non ero mai riuscito ad accettare il fatto che non lo avrei più rivisto, mai più. Era stato presente dal primo giorno della mia vita e all'improvviso se n'era andato.

I miei occhi si sono fatti lucidi, una diga stava cedendo e un fiume di lacrime era pronto a travolgermi. Piangevo e non smettevo di guardarmi allo specchio. Il pianto si faceva sempre più intenso. Partiva da molto lontano e mi liberava.

Mi mancava osservarlo di nascosto, mi mancava sentirlo infilare la chiave nella porta, mi mancava vedere i suoi pantaloni o la sua maglietta sulla sedia. Mi mancava la sua voce. Mi mancava litigare, nelle nostre discussioni nascondevamo tutto l'amore che non eravamo in grado di dirci. Mi mancava ridere con lui, le poche volte in cui era accaduto. Meritava di ridere di più, anche se sembrava che per lui non fosse importante, e forse per questo lo meritava ancora di più.

Non ho saputo capire. Che ingiustizia. Ho dovuto perderlo per conoscere la solitudine in cui ha vissuto tutta la sua vita. E mentre io gli chiedevo attenzioni, gli chiedevo parole, gli chiedevo sguardi, non mi sono accorto di quanto ne avesse bisogno lui. Non sapevo che anche in quello eravamo uguali.

Se potessi vederlo ancora una volta, lo stringerei forte, sarei una coperta su di lui.

Quando l'avevo tenuto in braccio l'ultima volta mi ero sorpreso di quanto fosse leggero. L'ho posato sul letto e l'ho lasciato andare, solo adesso ho capito che si era portato con sé le cose pesanti che avevo sul cuore e che avevano il suo nome.

Mi sono guardato allo specchio del bagno dell'albergo e per la prima volta mi sono sentito leggero anch'io. Ho smesso di piangere.

38

È stata la donna delle pulizie a svegliarmi.
«Mi scusi» ha detto quando ha visto che ero ancora a letto, poi ha richiuso la porta.
Erano le dieci passate, la stanza era già piena di luce eppure non mi ero svegliato.
Ho spostato il cuscino e mi sono seduto con la schiena appoggiata al muro. Ero ancora frastornato. Mi sono passato un paio di volte una mano sulla faccia.
Il mal di stomaco non c'era più e avevo una fame incredibile. Mi mangerei una frittata con le cipolle, ho pensato.
Avevo la sensazione di aver dormito una settimana di fila, mi sentivo riposato, disteso. Al buffet della colazione sono stato tentato di infilarmi il cibo nella borsa, come la vecchietta di Auckland. Al pensiero ho sorriso.
Dopo colazione ho fatto una passeggiata, mi sembrava di poter respirare più profondamente, come se quello che era accaduto di notte avesse creato spazio dentro di me.
La cosa più sorprendente era che la mia mente ave-

va smesso di tormentarmi con mille supposizioni, congetture, proiezioni, paure. Mi godevo il momento. Avevo il cuore in pace.

Nei giorni successivi la sensazione di leggerezza non mi ha mai abbandonato. Anche in ufficio, le persone mi vedevano diverso.

I miei problemi non si erano risolti per magia, la situazione tra me e Anna continuava a rendermi triste, ma in qualche modo non cancellava la gioia di altri piccoli momenti, non copriva come un enorme mantello ogni singolo istante della giornata. Riuscivo a godere di una cena con gli amici, di una passeggiata da solo, di un semplice gelato.

Una sera, dopo il lavoro, ho deciso di fare una sorpresa a mia madre. Mi sono presentato sotto casa senza avvisarla. Quando ho suonato al citofono, per poco non le prendeva un colpo, mi ha chiesto se fosse successo qualcosa.

«Avevo voglia di vederti e cenare con te» le ho detto una volta che sono salito a casa, e lei ha sgranato gli occhi. Era felice, si vedeva, e allo stesso tempo spaventata.

Subito mi ha dato il bollettino di amici e parenti, uno era caduto e si era rotto il femore, a uno avevano trovato i valori del sangue sballati, uno aveva molestato la badante e lei si era licenziata.

Abbiamo cenato con quello che aveva in casa e subito dopo il caffè è uscita per andare a fare la puntura alla vicina di casa. Era una cosa nuova per lei, aveva imparato da poco a farle, ma sembrava darle una gioia strana, come se occuparsi di qualcuno avesse ridato un senso alle sue giornate.

Mi guardavo intorno nella cucina dove ero cresciuto, dove avevamo vissuto tutti e tre insieme per vent'anni. Per la prima volta ho realizzato che ora lei ci abitava da sola e mi sono chiesto come potesse essere la sua vita.

Quando è rientrata sorridente, le ho chiesto: «Mamma, com'è vivere qui senza il papà?».

L'ho vista sorpresa, e poi si è subito commossa. Con gli occhi ancora lucidi mi ha detto: «Mi manca lui, e ancora di più mi manca la vita che facevamo insieme». Mi ha guardato. «Però ho anche capito che vivere nella nostalgia non ha senso. Le cose cambiano e quello che si può fare è provare ogni giorno a adattarsi. E poi, per me lui è sempre qui, solo che è nell'altra stanza.»

Non mi ricordo di aver mai parlato con lei in modo così diretto, intimo. Come se tra di noi ci fosse sempre stato un pudore che ci impediva di accorciare le distanze.

In auto, mentre guidavo per tornare a casa, riflettevo. Negli ultimi anni la mia vita era diventata sbrigativa, veloce, superficiale. Appena mi occupavo di una cosa o stavo con una persona, subito qualcos'altro mi distraeva. Non ero mai presente con tutto me stesso. Mi era capitato di ritrovarmi sul divano con il computer aperto sulle gambe, il televisore acceso di fronte e il telefono in mano, con la sensazione di fare più cose senza in realtà farne nemmeno una. Questo atteggiamento aveva finito per condizionare anche le mie relazioni. Quando giocavo con Matteo non ero veramente lì con lui. E non era per un'e-mail urgente, una telefonata di lavoro o altro, era la nostra normalità, il mio atteggiamento. I bambini vivono a una velocità diversa dalla nostra, muoiono ogni volta che vanno a dormire, e ogni mattina rinascono. Vanno a letto senza saper fischiare e il giorno dopo tornano da scuola e ti dicono: "Papà, senti cosa so fare!", e iniziano a fischiettare una melodia.

Mi stavo perdendo pezzi importanti di quello che c'era, distratto dalla paura di perdere quello che avrebbe potuto esserci e che non esisteva. Non avevo bisogno di più cose, più relazioni, più persone. Avevo bisogno di viverle più appieno.

39

«Prima o poi dovrete prendere una decisione» mi ha detto Alessio mentre mi faceva vedere come funzionava la lavastoviglie.

Quando avevo rinunciato alla posizione di Amsterdam, avevano scelto lui. Siccome avrebbe lasciato vuota la casa di Milano, me l'aveva offerta finché le cose tra me e Anna non si fossero chiarite in una direzione o nell'altra.

Al contrario di quello che mi aspettavo, cedere il passo su Amsterdam non mi era costato. Se fossi partito non avrei avuto a disposizione il tempo prezioso di cui stavo imparando a godere. Il viaggio mi aveva insegnato a vivere senza sacrificare nulla al futuro.

Nel nuovo appartamento imparavo ad apprezzare il silenzio, pensare, fare tutto con i miei tempi. Avevo ricominciato a leggere a letto, prima di dormire. Lentamente mi ero riappropriato di parti di me che pensavo fossero andate perse e che erano importanti per il mio equilibrio. Quando stavamo tutti insieme, io e Anna avevamo rinunciato ai nostri spazi, come se non farlo potesse compromettere il nostro essere famiglia. Avevamo vissuto una sorta di ostinata tendenza a rincorrere quella che ci sembrava la cosa giusta, un'idea di famiglia a cui aderire, un quadro già dipinto da qualcun altro. E alla fine dentro quel quadro ci eravamo persi.

Ero stato felice del nuovo appartamento, di avere un posto dove poter portare Matteo. Dopo tanto avevamo dormito insieme nello stesso letto, avevamo fatto colazione solo io e lui, un tempo tutto nostro. La situazione era stata meno confusa e caotica di quella che avevo immaginato. Ce l'eravamo goduta alla grande.

Da lì a pochi giorni Matteo avrebbe cominciato ad andare a scuola. E Anna, finalmente, dopo tutte le rinunce, sarebbe tornata a lavorare.

«Vorrei comprare tutto anche per me» ho detto ad Anna dentro la cartoleria.

Ci eravamo dati appuntamento per prendere il necessario per la scuola di Matteo, nessuno dei due voleva perdersi quel momento. Ero emozionato come quando ci andavo io da bambino, perfino gli odori erano uguali. Toccavo le gomme, annusavo le matite, sfogliavo i quaderni, aprivo zaini, borse, astucci.

Matteo era eccitatissimo, vedeva tutti quei piccoli oggetti nuovi e colorati come un gioco. Quando sceglieva qualcosa di troppo appariscente, cercavamo di indirizzarlo verso cose più sobrie.

Dopo la cartoleria, siamo andati al parco sotto casa, Matteo giocava, io e Anna sedevamo sulla solita panchina.

Eravamo ancora in una situazione sospesa, non stavamo più insieme, ma non eravamo ufficialmente separati. Nessuno dei due aveva una risposta da dare all'altro. Ne avevamo parlato e riparlato, però la direzione da prendere non era ancora chiara.

Quando in una relazione si comincia con i "dobbiamo parlare" spesso non c'è più molto da dire. Quello di cui avevamo bisogno non erano altre parole ma tempo, spazio, distensione. Erano scomparse le tensioni di prima, i fastidi che sfociavano in un litigio. Era scomparsa la frustrazione.

Forse mettere fine alla nostra storia non era la soluzione, forse avremmo semplicemente dovuto mettere fine al modo in cui l'avevamo vissuta e cercarne uno nuovo di stare insieme. Durante il viaggio in alcuni momenti avevamo avuto prova che essere felici tra noi era ancora possibile. Era stato questo forse il vero regalo, il vero souvenir di questo viaggio.

«Com'è la casa di Alessio?»

«La soluzione perfetta per questo momento.»

Guardavamo Matteo sull'altalena, sembrava sereno.

«Giovedì sera puoi tenerlo tu?» mi ha chiesto Anna a bruciapelo.

«Ho un sopralluogo nel pomeriggio a Firenze, non so se torno in tempo. Perché?»

«Ho un incontro con dei nuovi clienti, e poi bisogna andarci a cena.»

L'ho guardata un secondo, e in un secondo le ho risposto: «Non ti preoccupare, lo tengo io».

«Sei sicuro?» mi ha domandato sorpresa.

«Posso spostare il sopralluogo. Invece tu hai appena ricominciato, è importante che tu ci sia.»

Non le sembrava vero.

Ha iniziato a tirare un vento forte, in un attimo si è rannuvolato e gocce grandi, pesanti, cadevano dal cielo. Correvamo tutti e tre verso un riparo, ridendo per essere stati sorpresi dal temporale.

Una volta raggiunto il cornicione di un palazzo, siamo rimasti a guardare la pioggia che sembrava voler segnare la fine dell'estate. Era intensa e, come accade spesso, è durata pochi minuti.

Mi sono inginocchiato.

«Ciao Matteo, ci vediamo domani.»

«Giochiamo ai ninja domani?»

«Certo» gli ho detto prima di abbracciarlo.

«Stasera ti va di cenare con noi?»

Ho guardato Anna, non ero sicuro di aver capito bene. Mi ha sorriso in un modo così luminoso che non ricordavo nemmeno più.

Matteo mi ha preso la mano e siamo tornati a casa.

Mondadori Libri S.p.A.

Questo volume è stato stampato
presso ELCOGRAF S.p.A.
Stabilimento - Cles (TN)

Stampato in Italia - Printed in Italy